J F

Drôle de nuit

DALLAS SCHULZE

Drôle de nuit

Cet ouvrage a été publié en langue anglaise
sous le titre :
THE MORNING AFTER

Illustration d'Olivier Bion

83-85, boulevard Vincent-Auriol, 75013 Paris — Tél. : 45 82 22 77
ISBN 2-280-83260-7

1.

Le visage de Mme Newton était empreint d'affliction.

— Dois-je comprendre que tu comptes rester vieille fille toute ta vie ?

Lacey s'efforça de sourire.

— Voyons, maman, plus personne n'utilise une expression aussi désuète.

Mme Newton posa sur sa fille ses beaux yeux bleus emplis d'inquiétude.

— Elle te convient pourtant parfaitement. Résumons-nous... Tu as vingt-cinq ans, pas de mari, pas même un ami. Faut-il en conclure que tu te destines au célibat ? Que tu ne désires pas avoir d'enfants ?

Les doigts crispés sur sa tasse, Lacey avala une gorgée de thé. Elle dut fournir un effort considérable pour la reposer doucement sur la table.

— Bien sûr que si, maman. Tu sais combien je suis occupée. J'ai ma boutique, de nombreuses relations... Tu ne m'accuseras pas de vivre en ermite, je suppose ?

Mme Newton fixait sa fille avec une évidente perplexité. Devinant qu'elle s'interrogeait sur l'éducation qu'elle lui avait donnée, Lacey se tut. Sa mère devait ignorer qu'elle touchait là un point sensible. En vingt-cinq ans, la jeune femme avait eu tout loisir d'apprendre que cette fragile créature pouvait avoir la ténacité d'un bouledogue. Elle ne possédait pas une once de cruauté, pourtant si elle avait soupçonné que sa fille n'était pas totalement satisfaite de son sort, elle l'aurait harcelée sans pitié. Ensuite, elle se serait attaquée au problème...

Malheureusement, Lacey n'aurait su dire exactement ce qui lui manquait. Quoi qu'il en fût, elle n'avait pas l'intention de se livrer sans défense à la tendresse maternelle.

— Je ne te comprends pas, Lacey. Parfois, je me demande si je n'aurais pas dû me remarier, après la mort de ton père.

Tout en parlant, Mme Newton avait pris un sandwich au concombre qu'elle grignotait distraitement. Partagée entre l'envie de rire et celle de hurler, Lacey inspira profondément.

— Ecoute maman, j'ai vingt-cinq ans, pas neuf! De nos jours, de nombreuses jeunes femmes ne se pressent pas de fonder une famille.

Mme Newton soupira.

— Je ne veux pas être une mère envahissante, Lacey, pourtant je me fais du souci à ton sujet. Je n'avais jamais envisagé que tu coiffes Sainte-Catherine... Tu n'as même pas d'homme dans ta vie!

— Le mariage n'est pas une garantie de bonheur, maman. Pense au nombre croissant de divorces.

Bien qu'elle vécût en Californie depuis trente ans, Mme Newton avait gardé l'accent de la Georgie. Depuis le salon délicieusement décoré jusqu'à sa robe lavande, tout chez elle évoquait une version moderne d'*Autant en emporte le vent*. Elle n'aurait pu vivre sans s'entourer d'objets délicats.

Lacey se demandait parfois comment sa jolie mère si raffinée avait pu ignorer les changements survenus dans le monde qui l'entourait. Son père était mort lorsqu'elle avait quatre ans. Elle ne saurait jamais ce qu'aurait été son existence s'il avait vécu, mais sa mère l'avait élevée dans la plus pure tradition du Sud.

Lacey avait porté des robes quand ses camarades préféraient les jeans. Elle était la seule jeune femme de sa génération qui, à sa connaissance, possédât une paire de gants blancs pour l'église. Encore maintenant, elle se sentait nue si elle omettait de les enfiler avant de pénétrer dans le lieu sacré...

— Quand je rencontrerai l'homme de ma vie, maman, je ne demande pas mieux que de l'enchaîner pour te faire plaisir.

— Tu ne le trouveras certainement pas en t'enfermant dans ta minable petite boutique pour te plonger dans tes livres de comptes.

— Tu as trop lu Dickens, ma chère maman. Sache que les ordinateurs ont remplacé les registres. Quant à mon magasin, il est très chic et mes clientes le savent. Toi-même, tu n'hésites pas à t'habiller chez moi, il me semble.

D'un geste, Mme Newton balaya l'objection.

— Loin de moi la pensée de critiquer ton œuvre, ma chérie. Je suis très fière de toi, tu le sais bien. Je veux simplement dire que tu ne dois pas prendre prétexte de ton travail pour n'avoir aucune relation masculine. Et je ne parle pas seulement d'une éventuelle liaison. On ne peut vivre sans quelqu'un sur qui s'appuyer, quelqu'un avec qui partager les joies comme les peines.

Le cœur soudain serré, Lacey prit sa tasse de thé.

— Formulé ainsi, cela semble paradisiaque, maman. Malheureusement, les hommes merveilleux ne courent pas les rues.

— Sans doute, mais tu ne les rencontreras pas en évitant toutes les occasions de te distraire. Depuis combien de temps n'as-tu pas eu de petit ami ?

— Justement, je suis sortie avec un homme charmant, la semaine dernière.

Aussitôt, le regard de Mme Newton s'aiguisa.

— Vraiment ? Comment s'appelle-t-il ?

— Brad. Il est beau, gentil... Nous avons passé ensemble une très bonne soirée.

Lacey but une gorgée de thé. Elle n'avait pas tout à fait menti. Brad méritait bien tous ces qualificatifs. Il était aussi homosexuel, mais il était inutile de mentionner ce détail devant sa mère. Pour le moment du moins, celle-ci paraissait rassurée.

Une heure plus tard, elle embrassait sa mère, le cœur étreint par une légère culpabilité. Au fond de son sac, se trouvait la paire de boucles d'oreilles en diamants que Mme Newton venait de lui offrir pour son anniversaire. Il était difficile d'en vouloir longtemps à quelqu'un qui désirait tellement votre bien, mais par moments, la sollicitude de sa mère lui portait sur les nerfs.

Elle se glissa derrière le volant de sa voiture et adressa un dernier signe de la main à Mme Newton avant de démarrer. Quelques minutes plus tard, elle tournait dans Foothill Boulevard et prenait la direction de Pasadena.

Vingt-cinq ans... Elle avait vingt-cinq ans aujourd'hui. Déprimée, elle songea que jusqu'ici sa vie avait été désespérément vide. Lacey fronça les sourcils. Non, c'était injuste ! N'avait-elle pas créé sa propre boutique ? Elle aimait son métier, et les Frivolines de Lacey remportaient un franc succès dans l'un des quartiers les plus chics de Pasadena. A tel point qu'elle songeait même à ouvrir un second magasin.

Cette perspective ne suffit pas à lui remonter le moral. Vingt-cinq ans... Cela lui paraissait soudain si... vieux. Elle se sentait légèrement poussiéreuse. En soupirant, elle pénétra dans le parking situé en dessous de son immeuble. Une minute plus tard, l'ascenseur la déposait au quatrième étage. Elle ouvrit la porte de son appartement et foula une moquette épaisse. Elle aimait cet intérieur charmant, si délicieusement décoré. Pourquoi lui paraissait-il désert, tout à coup? L'idée de se procurer un chat effleura l'esprit de la jeune femme.

— Un chat! Le symbole même de la vieille fille! Tout ce dont j'ai besoin, c'est d'un bain chaud et d'une compagnie agréable.

Lacey s'arrêta net.

— Mon Dieu, voilà que je me parle à moi-même, maintenant!

Elle se mit à rire. Sa mère avait fait du beau travail, avec ses bavardages sur le mariage et le célibat! La vie ne se résumait tout de même pas à cela! Justement, elle sortait, ce soir. Avec quelques amis, elle avait décidé de fêter son anniversaire.

— Vingt-cinq ans.

Elle s'était exprimée à voix haute, pourtant le ciel ne lui était pas tombé sur la tête. Ce n'était qu'une année supplémentaire, après tout.

Pendant que son bain coulait, Lacey ôta son chemisier pêche et son pantalon, puis elle se planta devant le miroir. Sa peau était ferme et souple, ses cuisses musclées, ses seins hauts et ronds. Elle fronça les sourcils. L'étaient-ils moins qu'hier? Peut-être devrait-elle s'adonner à ces exercices censés remodeler le corps?

Penchée en avant, elle observa son visage avec attention. Il lui semblait le même que la veille. C'étaient les mêmes traits délicats hérités de sa mère, la même bouche à la lèvre supérieure légèrement trop pleine. Ses grands yeux verts restaient son meilleur atout. Notant sa moue renfrognée, elle se détendit. Combien de fois sa mère l'avait-elle mise en garde contre les rides d'expression! La jeune femme recula d'un pas. Non... Les signes de vieillissement n'étaient pas encore trop visibles, mais elle avait le sentiment déprimant qu'ils n'allaient pas tarder à se manifester. Peut-être n'apparaissaient-ils que le lendemain de l'anniversaire ? Aurait-elle la surprise de se découvrir aussi ridée qu'une vieille sorcière ?

Cette idée aurait dû la faire rire, pourtant elle ne lui arracha même pas un sourire. Elle éprouva l'envie soudaine de téléphoner à Jimbo pour décommander la soirée. Elle se détourna du miroir pour gagner la salle de bains. Une telle démarche était inutile... Elle connaissait Jimbo depuis plus de cinq ans, maintenant. Malgré leur grande différence d'âge, ils s'étaient immédiatement plu, mais elle savait combien Jimbo manquait de tact. Il ne lui restait plus qu'à feindre la gaieté, comme si la perte de sa jeunesse ne lui importait pas...

Cameron McCleary terminait de poncer son œuvre. Décidément, le chêne convenait parfaitement à la confection d'un berceau, songea-t-il en passant un doigt sur le contour arrondi d'un barreau. Les Martin pourraient y endormir toute leur descendance...

Imaginant un bébé assoupi, il éprouva l'habituel choc au cœur. Que ressentirait-il, si ce berceau était destiné à son propre fils ? Cette idée était fort séduisante, malheureusement, s'il n'avait aucun mal à se représenter l'enfant, il en allait tout autrement pour la mère.

Il n'avait pas atteint l'âge de trente-six ans sans connaître un nombre impressionnant de femmes. Une ou deux fois, il avait même cru tomber amoureux, pourtant ces relations n'avaient jamais évolué vers le mariage.

Les yeux bleus de Cam s'assombrirent. Depuis l'année précédente, il avait le sentiment étrange qu'il manquait quelque chose d'indéfinissable à sa vie, bien qu'il eût plus de travail qu'il ne lui en fallait.

Il comprenait soudain de quoi il s'agissait : il désirait fonder une famille. Un sourire en coin creusa sa joue. Il devait être fou ! N'importe quel homme doué de raison aurait apprécié le calme, après avoir grandi au milieu de six frères et sœurs. Lui aspirait au bruit, aux disputes, au désordre... à l'amour.

Cam écarta le berceau avec un soupir et se leva pour boire sa tasse de café froid. Faisant la grimace, il se promit d'acheter une thermos.

— Joli, mon vieux !

La voix fit sursauter Cam, qui sourit à la vue de son visiteur. James Robinson, Jimbo pour les intimes, se tenait sur le seuil du garage. Bien qu'il fût de taille moyenne, ses larges épaules le faisaient paraître plus petit qu'il ne l'était. Sa bouche semblait faite pour proférer des mots d'esprit, et ses yeux regardaient le monde avec un cynisme bienveillant.

— Tu n'as pas répondu à mon coup de sonnette. J'ai donc supposé que tu te trouvais dans ton atelier.

— Peut-être ne voulais-je pas être dérangé.

— Sûrement pas. Tu ne m'as pas entendu, tout simplement.

Jimbo fit quelques pas dans la salle et se pencha sur le berceau.

— C'est ce que tu as fait de mieux depuis un certain temps.

— Tu dis cela chaque fois.

— Vraiment ? Sans doute fais-tu des progrès constants.

Cam adressa une petite grimace à son ami.

— La flatterie ne te mènera nulle part. Que veux-tu ?

Les yeux de Jimbo exprimèrent l'innocence outragée.

— Moi ? Qu'est-ce qui te fait penser que je veux quelque chose ?

— Je sais comment tu procèdes. Il y a trois semaines, tu désirais emprunter ma voiture. Un mois plus tôt, tu comptais m'envoyer à ta place à un rendez-vous. De quoi s'agit-il, cette fois ?

— Tu me vexes profondément. Je suis venu t'inviter, et tu ne me laisses même pas le temps de parler.

Cam ignora l'expression peinée de son ami.

— Quel genre d'invitation?

— C'est un dîner d'anniversaire qui a lieu ce soir. Je t'ai déjà parlé de Lacey, je crois?

— En effet, mais je ne vois pas pourquoi je serais convié à la fête puisque je ne la connais pas.

— C'est l'occasion rêvée de la rencontrer. Je suis certain qu'elle te plaira. Nous nous rendons dans un restaurant mexicain. Tu vois le genre... Saucisses piquantes, friands fourrés au bœuf, galettes de...

— Inutile de me faire l'article! Cela semble appétissant, mais je ne peux pas venir.

— Pourquoi? Je te connais suffisamment pour savoir que tu n'entreprendras rien de nouveau ce soir.

— Non, mais...

— Tu tournes à l'ermite, Cam. Depuis quand n'as-tu pas dîné avec une jolie femme?

— Une semaine.

— Je parie que c'était ta mère ou l'une de tes sœurs.

Cam sourit.

— Touché!

— Allez, viens! Franck et Lisa seront là, et je dois passer prendre Bett.

— Cette Lacey ne veut sûrement pas d'un étranger le jour de son anniversairee. Une autre fois, peut-être.

— Je t'assure qu'elle brûle de faire ta connaissance. C'est-à-dire... Je suis persuadé que tu lui plairas. De cette façon, elle aura un cavalier si nous décidons d'aller danser. Je ne voudrais pas qu'elle fasse tapisserie justement ce soir.

— Je ne pense pas que ce soit une bonne idée.

— Je suis certain du contraire. Tu me le dois, Cam. N'oublie pas que j'ai emmené tes trente frères et sœurs à Disneyland.

— Seulement six... il y a dix ans de cela.

— Ils m'ont fait l'impression d'être trente et mes nerfs n'en sont pas encore remis. Allons, tu as besoin de sortir, mon vieux. Tu travailles trop.

Cam reconnut la lueur qui brillait aux fond des yeux de Jimbo. S'il ne cédait pas, son ami le harcèlerait jusqu'à sa reddition. Peut-être avait-il raison, après tout. Une sortie lui ferait sans doute du bien.

— Entendu. Mais si l'expérience tourne mal, n'oublie pas que je t'aurai prévenu.

Un sourire aux lèvres, Jimbo se frotta les mains.

— On va s'amuser, tu verras. C'est une nuit dont tu te souviendras.

Cam soupira.

— Tant que je ne la regretterai pas...

2.

Lacey pénétra dans le parking du Los Arcos. Ayant repéré une place, elle s'y engagea avant de réaliser qu'elle convenait davantage à une moto qu'à une voiture. Elle aurait de la chance si elle réussissait à ouvrir la portière. Une minute plus tard, elle constatait en effet qu'elle y parvenait tout juste.

La jeune femme hésita. Vu l'affluence, elle doutait de pouvoir se garer ailleurs. Au prix de quelques contorsions, elle finirait sans doute par s'extirper de son siège...

La journée avait mal commencé. Lorsqu'elle eut claqué la portière, Lacey ne fut donc pas surprise de se sentir retenue en arrière. Jetant un coup d'œil par-dessus son épaule, elle s'aperçut avec résignation que sa robe était coincée.

Elle ne s'émut pas outre mesure. Il ne devait pas être impossible de se libérer, et si la robe était perdue, ce ne serait qu'un avatar de plus. Cette journée d'anniversaire n'en serait qu'un peu plus catastrophique.

Quelques secondes plus tard, cette résignation faisait place à une légère irritation. Sa jupe était assez ample pour se prendre dans la portière, mais pas assez pour qu'elle pût se retourner et introduire la clef dans la serrure.

Elle sourit vaguement à un groupe de jeunes gens qui se dirigeaient vers le restaurant. Dès qu'ils eurent disparu, elle tenta une seconde fois d'atteindre la poignée et parvint tout juste à l'effleurer du bout des doigts.

Lacey s'immobilisa pour balayer le parking du regard. La nuit tombait. Bientôt l'obscurité serait totale, et elle resterait là, telle une création originale de l'art moderne : « La Femme à la voiture ».

Elle se retourna brusquement, dans l'espoir saugrenu que la portière la libérerait par surprise. Cela ne marcha pas. Un couple âgé passait dans l'allée et elle feignit de fouiller dans son sac, comme si elle cherchait un objet d'une importance vitale.

Elle pouvait se glisser hors de sa robe. Une fois libérée, elle ouvrirait la portière. Evidemment, dans l'intervalle, un attroupement se serait sans doute formé autour d'elle... Et si elle appelait au secours? La jeune femme écarta aussitôt cette idée. Il lui faudrait fournir des explications et elle n'en avait aucune, sinon que son grand âge lui faisait perdre la tête. Non... Il ne lui restait plus qu'à admettre qu'elle allait vieillir et mourir dans le parking d'un restaurant mexicain.

Cette vision tragique lui arracha un sourire, auquel succéda un fou rire nerveux.

— Excusez-moi, mademoiselle. Avez-vous remarqué que votre robe est prise dans la portière de votre voiture?

Un peu rouge, Lacey tourna la tête. Par-dessus son épaule, elle aperçut deux larges épaules. Elle toussota.

— Vraiment? Je m'imaginais qu'elle avait rétréci.

Dans la pénombre, elle entrevit l'éclat d'un sourire.

— Vous êtes bel et bien prisonnière. Puis-je vous aider?

— Eh bien... S'il vous est possible d'atteindre la serrure, vous pourriez ouvrir la portière et me libérer.

Il parut réfléchir un moment à la question.

— Je dois pouvoir m'acquitter de cette mission. Vous avez les clefs?

Elle les lui tendit sans mot dire. Il se pencha, elle perçut un cliquetis dans son dos... Elle était libre, enfin!

— Merci.

— Je vous en prie. Votre robe n'est pas trop abîmée?

La voix de l'inconnu était grave et profonde.

— Rien de tragique, de toute façon. Avant votre arrivée, je me demandais si j'étais condamnée à passer le restant de mes jours sur ce parking.

— Je suis heureux d'avoir pu me rendre utile.

— Pas autant que moi!

Tout en parlant, ils se dirigeaient vers le restaurant. Au moment de pénétrer dans la grande salle éclairée, Lacey ressentit un pincement au cœur à l'idée que son sauveur pouvait n'avoir qu'une vingtaine d'années.

Elle fut d'abord soulagée de constater qu'il n'était pas assez jeune pour la traiter en vieille dame. Elle pensa ensuite qu'il était presque trop beau, avec son menton énergique, sa belle bouche et ses yeux bleus. Des mèches blondes éclairaient ses cheveux châtains. C'était le genre d'homme pour lequel les femmes se damneraient. Sans doute ne comptait-il plus ses conquêtes... Non qu'elle s'en souciât le moins du monde, d'ailleurs, cependant elle était satisfaite qu'il eût dépassé la trentaine.

Réalisant qu'il l'étudiait avec un intérêt égal au sien, la jeune femme rougit et résista à l'envie de rectifier sa coiffure.

— Eh bien... Merci encore.

— Je vous en prie.

Il posait sur elle un regard tellement intense qu'elle eut le sentiment qu'il désirait ajouter autre chose. Elle désigna sa robe froissée.

— Je vais voir si je peux arranger un peu les choses avant de rencontrer mes amis.

Elle lui adressa un vague sourire avant de s'éloigner très vite en direction du vestiaire. Une minute plus tard, elle s'adressait de vifs reproches, tout en lissant tant bien que mal sa jupe chiffonnée. Cet homme était séduisant et il semblait sympathique. Pourquoi ne lui avait-elle pas laissé le temps de s'exprimer? Peut-être voulait-il la revoir? Bien sûr, elle n'avait pas l'habitude d'accorder des rendez-vous aux inconnus rencontrés dans les parkings. Mais elle aurait pu faire une exception, pour une fois...

Avec un soupir et une dernière pensée pour son sauveur, elle quitta les toilettes. Le samedi soir, le restaurant Los Arcos était bondé. Lacey observa la foule avec un sentiment croissant de dépression. Tout le monde paraissait s'amuser, personne ne semblait souffrir de solitude. Et ils avaient l'air jeunes!

Elle envisageait de s'enfuir quand elle aperçut Jimbo. Avec son habituelle discrétion, il agitait les bras dans sa direction. Souriante, elle circula parmi les tables, persuadée que chacun devinait qu'elle fêtait son vingt-cinquième anniversaire et comptait ses rides.

— Lacey! Nous commencions à nous inquiéter.

La jeune femme accepta sans broncher l'accolade de Jimbo et sourit à Franck et à Lisa.

— Je ne suis pas aussi en retard que tu veux me le faire croire. Bonjour, mes amis.

— Lacey, je suis heureux de te présenter Bett. Je me suis occupé de sa déclaration d'impôts, cette année.

Le cœur de Lacey battit plus vite. Si Bett était l'amie dont Jimbo lui avait déjà parlé, l'homme assis auprès d'elle ne l'accompagnait pas. Et le seul siège vacant se trouvait à côté de lui. Devinant que Jimbo l'avait invité pour elle, la jeune femme se sentit des envies de meurtre.

— Ravie de vous rencontrer, Bett. Vous verrez que Jimbo est un as, en matière de finances.

Ce dernier laissa les deux jeunes femmes échanger quelques banalités avant de procéder aux dernières présentations :

— Et voici Cameron McCleary. Je te présente Lacey, Cam.

Lacey se tourna vers l'inconnu pour la première fois depuis qu'elle avait rejoint ses amis. Aussitôt, le rouge lui monta aux joues. L'homme qui se levait lentement pour la saluer n'était autre que son sauveur !

— Re-bonjour !

Etrangement émue, la jeune femme accepta de poser sa main dans une large paume calleuse. Comme leurs yeux se rencontraient, elle s'empourpra davantage.

— Bonsoir.

Les yeux de Jimbo allaient de l'un à l'autre.

— Vous vous connaissez ?

Incapable de retrouver sa voix, Lacey laissa Cam répondre.

— Pas exactement. Lacey avait des problèmes avec sa voiture et je l'ai un peu aidée.

Il haussa les épaules, comme si l'incident ne valait pas la peine d'être évoqué plus longtemps. Lacey lui adressa un regard reconnaissant. Elle se sentait un peu trop vulnérable pour supporter que chacun apprît combien elle s'était montrée stupide. A son grand soulagement, Jimbo n'insista pas et retourna s'asseoir. Elle prit place auprès de Cam, un peu troublée par la proximité de ce grand corps.

Franck se pencha en avant, une mèche de cheveux blonds tombant sur ses yeux.

— Alors Lacey, tu vas survivre à cet anniversaire ?

La jeune femme sourit avec une désinvolture bien imitée.

— Je pense m'en remettre, bien que j'aie failli tuer ma mère, cet après-midi. Elle n'a rien trouvé de mieux que de me traiter de future vieille fille.

Tout le monde éclata de rire, sauf Cam qui lui lança un coup d'œil perspicace. Elle se demanda si elle avait laissé transparaître quelque chose de ses sentiments réels. Elle recula, car la serveuse déposait devant elle un imposant cocktail, spécialité de la maison.

Jimbo reprit la parole.

— Il est temps de porter un toast. A Lacey! Puissent tous ses anniversaires se dérouler en aussi charmante compagnie.

Souriant, il effleura le verre de Lacey du sien. Elle lui rendit son sourire, incapable de lui en vouloir plus longtemps. Les autres convives les imitèrent, ajoutant leurs souhaits à celui de Jimbo. Cam fut le dernier. Au moment où leurs verres se touchèrent, ses yeux rencontrèrent ceux de la jeune femme. Il semblait deviner très exactement ce qu'elle ressentait. Mal à l'aise, elle voulut se détourner, mais en fut incapable.

— A la plus jolie vieille fille que j'aie jamais rencontrée, dit-il.

De sa voix calme, il effaçait la blessure causée par ces mots. Lacey absorba une gorgée d'alcool, soudain apaisée.

— Merci...

Il devenait impossible de rester déprimée quand tout le monde s'amusait. Les mets épicés lui arrachèrent des larmes. Elle mangea trop, but plus que de raison. Elle s'efforçait de ne pas poser les yeux sur Cam. Cet homme était trop beau, et le fait qu'il était de surcroît sympathique le rendait plus dangereux encore.

A mesure que les heures passaient, elle oubliait qu'elle venait de le rencontrer. Il y avait quelque chose en lui qui inspirait confiance. Il était chaleureux et possédait un sens de l'humour qui contrebalançait le cynisme de Jimbo.

Le regard légèrement vacillant, Lisa proposa :

— Nous devrions terminer la soirée en beauté.
Son époux lui lança un coup d'œil indulgent.
— Tu as une idée?
— Je ne sais pas, moi! Après tout, on n'a vingt-cinq ans qu'une fois!
— Vraiment? Il me semble pourtant que tu les as fêtés à plusieurs reprises.
Tout le monde éclata de rire. La complicité du couple serra le cœur de Lacey, qui détourna les yeux.
De sa voix légèrement essoufflée, Bett proposa :
— Et si nous allions à Las Vegas?
Lacey sursauta, prise de court par cette proposition saugrenue.
Mais Bett insistait :
— Pourquoi pas? Nous pourrions célébrer dignement l'anniversaire de votre amie. Vous ne pensez pas, Lacey?
Toutes les têtes se tournèrent vers la jeune femme. Celle-ci trouvait la proposition absurde, pourtant elle ne trouvait aucun argument à lui opposer. Si elle refusait, ils rentreraient tous chez eux et elle ne verrait peut-être plus jamais Cam. Bien qu'elle fût légèrement étourdie par la tequila, elle savait qu'elle désirait retarder le plus possible l'échéance.
— Cela me semble une bonne idée.
Aussitôt, tout le monde se rangea à son avis. Quelques instants plus tard, ils s'entassaient tous dans la Cadillac de Jimbo et partaient pour le Nevada.
Jimbo conduisait. Etant donné qu'il ne buvait jamais, il était le seul à avoir conservé toute sa tête. Bett était blottie contre lui et les quatre autres se serraient à l'arrière. Au départ, Lisa s'était installée auprès de Bett. A la dernière minute, elle avait voulu s'asseoir à côté de Franck, si bien que Lacey s'était retrouvée pratiquement sur les genoux de Cam. Elle s'y trouvait curieusement

bien... Il n'était venu à l'esprit de personne qu'elle ou Cam aurait pu prendre place à l'avant.

Au milieu du désert, Lacey était nichée dans les bras de Cam, parfaitement satisfaite de son sort. Parfois, une sonnette d'alarme retentissait au fin fond de sa conscience. Elle l'ignora résolument. Ce soir, elle ne voulait penser à rien d'autre qu'à jouir de l'instant présent.

— Vous comprenez, dit Lacey, maman se fait du souci à mon sujet.

Lisa poussa un long soupir.

— Elles sont toutes pareilles. La mienne me harcèle pour que je lui fasse un petit fils.

— Quant à moi, intervint Bett, elle n'a jamais admis que je sois actrice. Elle voulait que je poursuive mes études de médecine.

Lisa et Lacey hochèrent la tête avec commisération. Malgré les vapeurs de l'alcool, il était difficile d'imaginer cette blonde platinée en médecin. Ses patients mâles auraient souffert de troubles cardiaques. Quant aux femmes, elles seraient toutes mortes de désespoir.

Franck se pencha en avant, les yeux fixés sur le décolleté avantageux de la comédienne.

— Quelle honte!

Un coup de coude dans les côtes le rappela à l'ordre. Les sourcils froncés, Lisa lui intimait silencieusement de se bien tenir.

Lacey en profita pour reprendre la parole.

— J'ai essayé de lui expliquer que le célibat n'avait rien de honteux...

Ils étaient attablés dans un restaurant qui jouxtait une salle de jeu. La nourriture était médiocre, mais bon marché. Visiblement, la direction encourageait sa clientèle à dépenser son argent à la roulette plutôt qu'en consommations.

Lacey grignotait une frite.

— Votre mère vous persécute-t-elle parce que vous n'êtes pas marié? demanda-t-elle à Cam.

Si elle n'avait pas été en proie à une légère ébriété, sans doute aurait-elle remarqué l'étrange lueur qui brillait au fond des yeux de son nouvel ami.

— Elle le déplore de temps à autre, admit-il.

La jeune femme hocha tristement la tête.

— Les parents s'imaginent que le mariage est une garantie de bonheur éternel.

— Tu sais, intervint Jimbo, toi et Cam pourriez résoudre le problème en vous unissant pour le meilleur et pour le pire.

Il avait prononcé ces derniers mots avec une emphase ironique que démentait le sérieux de son regard. Il y eut quelques secondes de silence, puis tout le monde s'esclaffa haut et fort. Ce Jimbo, tout de même, il savait manier l'humour à froid! Enfin, Franck se leva.

— Allons! Nous sommes venus pour célébrer l'anniversaire de Lacey. Je suggère que nous allions danser.

Une demi-heure plus tard, Lacey découvrait que les bras de Cam étaient aussi forts qu'ils le paraissaient. Avec un soupir comblé, elle rejeta la tête en arrière.

— Vous êtes un bon danseur.

— Vous ne vous débrouillez pas trop mal non plus. Grâce à mes sœurs, j'ai de nombreuses occasions de m'exercer.

— Vos sœurs? Vous en avez combien?

— J'ai trois sœurs et trois frères. Nous sommes sept en tout, en me comptant.

Lacey fronça les sourcils.

— Pour ma part, je suis fille unique. C'est la raison pour laquelle ma mère se fait autant de souci à mon propos. Elle dit souvent qu'au-delà de vingt-cinq ans, une femme a deux fois plus de chance d'être foudroyée par un éclair que d'être demandée en mariage. Je mourrai sans doute vieille fille.

— Cela m'étonnerait.

— Vraiment ? Pourquoi ?

— Question d'intuition... Vous ne me semblez pas destinée au célibat.

— Merci...

Comme les mains de Cam caressaient son dos, la jeune femme sentit un frisson la parcourir. Les yeux levés vers Cam, elle se perdit dans les prunelles bleues de son cavalier... Au moment où il baissa la tête vers elle, elle sentit vaguement que sa respiration s'accélérait, puis ses lèvres s'entrouvrirent. Dès que la bouche de Cam se fut posée sur la sienne, elle eut le sentiment d'avoir attendu cet instant depuis des siècles. Les bras de Lacey se nouèrent autour du cou de Cam. Demain, elle regretterait peut-être d'avoir cédé trop vite à l'impulsion du moment, mais pour l'instant, elle avait le sentiment d'obéir à son destin.

Ses cils battirent lorsque Cam s'écarta. Autour d'eux, personne ne semblait avoir remarqué ce qui venait de se passer. De nouveau, elle plongea dans l'eau claire de ses yeux, jusqu'à s'y noyer.

Ensuite, tout devint flou. Quand elle chercha à rassembler ses souvenirs, les jours suivants, elle ne retrouva que des images éparses.

Ils avaient continué de danser et il l'avait embrassée une fois ou deux. Ils avaient bu, ri énormément. Puis elle revoyait un bouquet de fleurs, elle entendait les applaudissements et les félicitations. Il lui semblait vaguement avoir été au centre de cette approbation, puis les lumières et les bruits s'étaient atténués.

Elle et Cam étaient seuls dans un lieu faiblement éclairé. Elle avait ignoré les avertissements que lui prodiguait sa conscience. Elle flottait sur une mer de plaisir, loin des soucis et des responsabilités. Elle s'abandonnait à la vague de sensations merveilleuses qui déferlaient sur elle, balayant tout ce qui n'était pas elles. Pourtant, elle n'avait pas peur. Il y avait quelqu'un, avec elle. Quelqu'un de fort et de chaud, qui la protégeait.

Elle glissa dans le sommeil, consciente que sa vie avait subi un cataclysme. Elle le regretterait peut-être plus tard, mais pour le moment elle savait n'avoir jamais connu un bonheur aussi intense.

3.

Un bruit désagréable explosa dans la tête douloureuse de Lacey, l'arrachant au sommeil. Elle tâtonna dans la direction du son hideux, vaguement consciente qu'il pouvait être interrompu. Ses doigts rencontrèrent un objet lisse et froid qu'ils soulevèrent. Aussitôt, le silence revint et elle soupira de soulagement.

Le téléphone... C'était cela. Cet appareil de malheur avait produit cette horrible sonnerie. Réalisant soudain que quelqu'un devait se trouver à l'autre bout du fil, la jeune femme tira le récepteur jusqu'à son oreille.

— Allô ?

— Lacey chérie ? C'est maman ! Tu es là ?

La voix de Mme Newton paraissait bizarrement étouffée. Lacey mit quelques secondes à comprendre qu'un drap séparait le récepteur de son oreille.

— Attends une minute, maman.

Elle écarta le drap de son visage et réussit péniblement à s'asseoir. Sa migraine s'intensifiait de seconde en seconde. La douleur semblait s'être installée derrière ses yeux pour irradier son corps entier.

— Lacey chérie ? répéta sa mère. Je sais que je n'aurais pas dû appeler, mais j'ai cédé à l'envie de te gronder.

La voix de Mme Newton ne trahissait pourtant aucune

colère. On aurait plutôt juré qu'elle allait exploser de satisfaction. Renonçant à résoudre cette énigme, Lacey examina la pièce où elle se trouvait de ses yeux fatigués.

Une chambre d'hôtel ! Il n'y avait pas de doute à ce sujet, elle se trouvait dans une luxueuse chambre d'hôtel... Baissant les yeux, la jeune femme découvrit avec stupeur qu'elle était nue. C'était étrange, puisqu'elle ne dormait jamais ainsi.

Son cœur battit soudain plus vite, car un son étouffé venait de lui parvenir. A l'autre bout du fil, sa mère continuait de bavarder, mais Lacey ne l'entendait plus. Quelque chose de plus important la préoccupait... Quelqu'un venait de grogner, quelqu'un de très proche, quelqu'un qui se trouvait dans le même lit qu'elle !

Lacey tourna difficilement la tête, le récepteur toujours collé à l'oreille. Un homme était étendu auprès d'elle, un homme dont la peau mate contrastait avec le drap blanc. Il était bronzé, musclé et... nu.

La jeune femme poussa un cri avant de tirer le tissu sur ses seins découverts. Incapable de détourner ses yeux de l'intrus, elle retrouvait peu à peu la mémoire. Il y avait d'abord eu sa robe, prise dans la portière de sa voiture, puis le restaurant mexicain, la virée à Las Vegas et tous ces verres... Ensuite, elle ne savait plus. Elle se rappelait pourtant avoir dansé. Son cavalier possédait des yeux plus bleus qu'un ciel d'été...

Il y eut une exclamation étouffée, puis l'autre occupant du lit se retourna. Ses paupières se soulevèrent, révélant des pupilles claires à l'expression étonnée. Le souffle coupé, Lacey le fixait sans mot dire. Elle se trouvait dans une chambre d'hôtel, au lit, nue... auprès d'un homme qu'elle connaissait depuis moins de vingt-quatre heures. A moins qu'elle ne délirât, ils venaient de passer la nuit ensemble. Et pour couronner le tout, sa mère paraissait folle de joie.

Cam regarda Lacey pendant un long moment, puis il ferma les yeux et les rouvrit plusieurs fois, comme s'il espérait mettre fin à son rêve. Enfin, il se détourna pour enfoncer son visage dans l'oreiller. Lacey partageait exactement ses sentiments...

— Lacey chérie, tu es là?

— Je suis là, maman.

— Oh, mon cœur, je suis si heureuse pour toi que j'ai envie de pleurer. Pourquoi ne m'as-tu pas parlé de lui? Phoebé m'a seulement dit qu'il était le plus bel homme qu'elle ait jamais vu. Comment s'appelle-t-il, mon chou?

— Comment il s'appelle?

La douleur vrilla les tempes de la jeune femme. De quoi sa mère parlait-elle? Et que venait faire dans cette histoire son affreuse tante Phoebé qu'elle s'évertuait à éviter depuis des années? Ce n'était pas trop difficile, d'ailleurs, puisque la vieille dame vivait à Las Vegas. Et pourquoi sa mère voulait-elle connaître le nom de...

— Came... ron.

Une voix étouffée par l'oreiller lui parvint.

— Cameron McCleary.

— Cameron McCleary, répéta-t-elle.

— Oh, chérie, quel joli nom!

Lacey éloigna le récepteur de son oreille pour le fixer avec stupeur. Pourquoi sa mère se montrait-elle si satisfaite de savoir sa fille dans un lit, auprès d'un étranger? Elle devait rêver, c'était la seule explication plausible. Elle n'allait pas tarder à se réveiller dans sa chambre, et découvrir que tout ceci n'était qu'un affreux cauchemar.

— Dès que vous rentrerez, tu me le présenteras. C'est promis, ma chérie?

— Euh... Oui, si tu veux.

— Si je veux? Mais je meurs d'envie de le rencontrer! Lorsque vous serez installés, nous organiserons une grande réception.

Renonçant à comprendre, Lacey décida de mettre un terme à cette conversation délirante.

— Bien sûr, maman. Excuse-moi, mais je dois te quitter.

— Quelle sotte je suis ! Je sais que je n'aurais pas dû appeler, chérie, mais j'avais tellement hâte de te féliciter !

— A bientôt, maman.

Après que Lacey eut raccroché, un lourd silence s'abattit sur la pièce. Immobile, la jeune femme espérait encore qu'elle allait s'éveiller quand Cam roula sur le côté, la faisant sursauter. Il s'assit et se prit la tête à deux mains.

— Je ne vais pas tarder à mourir, annonça-t-il avec calme.

L'espace d'une seconde, elle ressentit envers lui une pointe de sympathie. Son propre crâne menaçait d'exploser à tout instant.

Comme il se tournait vers elle, leurs yeux se croisèrent. Elle chercha vainement quelque chose de spirituel à dire. Lui-même ne prononça pas un mot. Il se contenta de la fixer un long moment avant de reprendre sa position initiale, les épaules courbées, les doigts enfoncés dans sa chevelure châtaine.

Quelqu'un devait prendre la situation en main, ils ne pouvaient rester assis toute la journée ! Lacey chercha ses vêtements du regard et rougit... Ils étaient éparpillés sur la moquette, intimement mêlés avec un jean, une chemise et des sous-vêtements masculins. Ils étaient en outre hors d'atteinte.

Elle jeta un coup d'œil à son compagnon. Il allait falloir lui demander sa coopération.

— N'ouvrez pas les yeux.

— N'ayez crainte. Si je le faisais, ils jailliraient de mes orbites.

La voix de Cam était étouffée, mais indéniablement sincère. Lacey sortit ses jambes du lit et posa ses pieds par terre. Apercevant sur le sol une feuille de papier froissée, elle se pencha...

Son cri perçant transperça la tête douloureuse de Cam, qui porta les mains à ses oreilles. Pendant quelques secondes, il s'efforça de maintenir la souffrance à un degré supportable. Il lui semblait qu'un millier de lutins faisaient des claquettes derrière ses paupières. Il y eut un silence, puis Lacey poussa un gémissement sourd.

Il entrouvrit les yeux. Si Lacey avait besoin d'aide, elle ne lui en voudrait sans doute pas d'avoir manqué à sa promesse. La jeune femme était assise au bord du lit, et malgré la douleur, Cam ne put s'empêcher d'apprécier la ligne de son dos.

— Qu'est-ce qui ne va pas?

Elle se tourna lentement vers lui et lui tendit une feuille de papier. Cam le prit sans quitter sa compagne du regard. Dans son visage blême, ses yeux ressemblaient à deux lacs verts.

— Lisez.

Persuadé que cette lecture ne lui apporterait rien de bon, Cam parcourut pourtant le document. C'était un formulaire imprimé en lettres noires sur un fond ivoire. Tout en haut, étaient inscrits les mots : « Petite Chapelle du Bonheur, Desert Dell ». En temps ordinaire, il n'aurait pas fallu à Cam plus de quelques minutes pour prendre connaissance de la suite. Mais les circonstances étaient tout à fait particulières, et il ne voulait pas se tromper. Malheureusement, il était presque impossible de faire une erreur d'interprétation.

Il tenait un certificat de mariage. Les heureux époux se nommaient Cameron McCleary et Lacey Anne Newton... Lorsqu'il eut intégré l'information, Cam referma les yeux. Ce papier signifiait une chose : il était marié avec la jeune femme qui partageait son lit. Elle ne semblait pas aussi heureuse que l'exigeaient les circonstances...

— Bonjour, madame McCleary.

La plaisanterie manquait de subtilité, pourtant elle ne méritait pas l'expression horrifiée qui se peignit sur le visage délicat de la jeune femme. Pendant quelques minutes, le temps parut se figer. Enfin, Lacey effleura du regard la poitrine nue de Cam, s'arrêtant à la taille, jusqu'où montait le drap. Il était clair qu'il ne portait rien en dessous... Elle-même se trouvait dans le plus simple appareil... Soudain, Lacey entrevit ce qu'impliquait cette constatation.

Les pensées de Cam avaient suivi le même cours. A la vue des vêtements, intimement mêlés sur la moquette, il se souvint d'une peau plus douce que la soie. Et quelque chose d'autre.... Il ferma les yeux, en proie à une migraine de plus en plus tenace.

— Ecoutez, je...

— Visiblement, nous sommes victimes d'une mauvaise farce, trancha-t-elle.

Apparemment, elle n'avait pas envie d'écouter ce qu'il allait dire. Il choisit de changer de sujet, du moins pour le moment, et désigna le document.

— Il me semble tout à fait authentique.

— Ce n'est pas possible! Je veux dire, je n'aurais pas pu...

Elle balaya l'espace de la main, incapable d'en dire plus.

— De vous marier? termina-t-il.

— Oui. On ne s'engage pas aussi vite, quel que soit le nombre de verres absorbés.

— Il arrive qu'on se conduise bizarrement.

— Pas moi!

Cam sourit. La situation commençait à l'amuser, malgré la douleur qui lui serrait les tempes. Il avait le curieux sentiment que l'avenir n'était pas aussi sombre qu'il le paraissait.

— Vous voulez dire que vous n'avez pas l'habitude de vous réveiller dans une chambre d'hôtel en compagnie d'un inconnu ?

— Exactement.

— Tant mieux. J'aurais détesté épouser une jeune femme de mœurs frivoles.

Lacey frémit.

— Nous ne sommes pas mariés !

— Ce document prouve que si.

— C'est visiblement un faux.

Cam haussa les épaules, renonçant à discuter. Peut-être était-il encore un peu ivre, mais l'aventure ne l'attristait pas autant qu'elle l'aurait dû.

— Si... si vous fermez les yeux, reprit Lacey, je pourrai ramasser mes affaires.

— Certainement.

Lacey hésita. Il lui avait obéi, mais il pouvait manquer à sa parole.

— N'ayez pas peur, je vous promets de ne pas regarder.

Elle le crut aussitôt. Quelque chose en Cameron Mc Cleary lui inspirait confiance, songea-t-elle à contrecœur. Abandonnant son drap, elle se leva et se hâta de reprendre ses vêtements, en évitant de toucher à ceux de Cam.

Frissonnante, elle jeta un dernier regard par-dessus son épaule avant de disparaître dans la salle de bains. Celle-ci était aussi luxueuse que la chambre, toute en chrome et en carreaux vert pâle. Peu soucieuse de la décoration, Lacey s'adossa à la porte, les yeux fermés. Au bout de quelques instants, elle se força à traverser la pièce pour tourner un robinet du lavabo. Si elle gardait quelque espoir que toute cette aventure ne fût qu'un cauchemar, il s'évanouit au moment où l'eau froide entra en contact avec son visage.

La jeune femme releva lentement la tête. Elle se trouvait vraiment dans une chambre d'hôtel où elle venait apparemment de passer la nuit en compagnie d'un homme. Un homme dont le nom se trouvait près du sien sur un certificat de mariage... Elle ne parvenait pas à comprendre comment tout cela avait pu se produire.

Elle ferma de nouveau les yeux, dans l'espoir de réunir les pièces du puzzle. Il l'avait aidée à se libérer de son piège, ensuite Jimbo les avait présentés l'un à l'autre, puis ils avaient été assis côte à côte. Tout le monde s'était bien diverti, et quelqu'un avait suggéré d'aller à Las Vegas.

Ensuite... Elle se souvenait avoir entendu que Cam et elle devraient se marier. Sur le coup, ils avaient tous bien ri. Se pouvait-il que l'idée leur eût paru raisonnable, au bout de quelques verres?

Lacey s'assit lourdement sur le bord de la baignoire, une main toujours plongée dans l'eau froide. D'autres images lui revenaient. Ils avaient manipulé les machines à sous, puis ils étaient allés danser. Elle avait pensé qu'elle n'avait jamais vu des yeux d'une si belle eau claire...

Il l'avait embrassée. Il lui semblait sentir encore sa bouche sur la sienne, l'odeur de sa peau, la force de ses bras... Après cela, tout s'embrouillait. Elle apercevait l'éclat d'un bouquet de néon, au-dessus d'un autel rose, et le visage solennel d'un homme qui la regardait... qui les regardait!

Lacey réprima un sanglot. Elle l'avait vraiment fait. Elle avait épousé Cameron McCleary, un homme qu'elle venait de rencontrer. Et comme si ce n'était pas suffisant, elle avait dormi avec lui, elle s'était donnée à lui. A ce sujet, ses souvenirs étaient encore plus flous, mais suffisants.

La jeune femme lutta de toutes ses forces pour ne pas fondre en larmes. Pleurer ne servait à rien. Si elle avait appris une chose, en vingt-cinq ans, c'était bien de pas s'attarder en vains regrets sur les erreurs passées.

On devait pouvoir redresser la situation. Ce qui était fait était fait, mais il suffisait de le défaire...

De son côté, Cam avait attendu que la jeune femme fût hors de vue pour se lever et enfiler son jean. L'espace d'un instant, son impassibilité craqua, tandis qu'il lâchait une série de vigoureux jurons. Un homme ne parvenait pas à trente-six ans sans avoir commis son lot de sottises. Il y avait pourtant des limites à ne pas dépasser. Il avait beau se creuser la tête, il ne parvenait pas à comprendre comment il avait réussi à se fourrer dans une telle situation.

Il traversa la chambre pour regarder par la fenêtre. A la lumière du jour, Las Vegas perdait son scintillement magique pour devenir une ville déserte. Tournant le dos aux toits gris, il fixa la porte de la salle de bains. Que pouvait bien penser Lacey? Lacey. La jeune femme avec qui il avait fait l'amour la nuit précédente. Sa femme.

Lacey inspira profondément. Une dernière fois, elle lissa ses cheveux, regrettant de ne pas disposer d'une brosse, puis elle appuya sur la poignée de la porte et pénétra dans la chambre à coucher.

Cam se tenait devant la fenêtre. Le souffle court, elle remarqua sa poitrine découverte, entre les pans flottants de sa chemise. Bien qu'il fût pieds nus, il ne parvenait pas à avoir l'air ridicule.

— Bonjour...

Elle s'éclaircit la voix avant de répondre :

— Bonjour.

— Comment va votre tête?

— Je ne souffre presque plus. Et la vôtre?

— Ça va mieux. J'avais oublié combien les lendemains de cuites étaient épouvantables. Cela m'apprendra!

— A moi aussi.

Lacey fit quelques pas dans la pièce, les yeux obstinément fixés sur le sol pour ne pas voir la fine toison châtaine qui bouclait sur la poitrine de Cam. Ce dernier l'observait avec attention, et elle eut le sentiment qu'il devinait la petite fille effrayée qui se cachait sous l'attitude désinvolte.

Elle balaya le plancher du regard, afin de se distraire. Ses joues s'empourprèrent lorsqu'elle aperçut son slip de dentelles posé sur le lit.

— Il était sous mon jean, expliqua Cam.

Il regretta aussitôt de n'avoir pas su retenir sa langue. Cramoisie, Lacey s'emparait du bout de tissu pour l'enfouir dans la poche de sa robe.

— Merci, murmura-t-elle sans lever les yeux vers lui.

Cam soupira. Il aurait voulu la rassurer, mais la situation ne le lui permettait pas. Bien que sa migraine eût diminué, son cerveau n'avait pas encore retrouvé toute son agilité. Il apercevait le certificat de mariage, derrière Lacey. Si ce document était authentique, ainsi qu'il le pensait, ils étaient désormais mari et femme... Il lui semblait assister à une pièce de théâtre, mais il s'agissait de sa vie et de celle de Lacey. Ils allaient devoir discuter.

— Lacey...

— Il faut que nous...

Ils avaient ouvert la bouche au même moment. Cam fit un geste de la main.

— Les dames d'abord.

Elle hésita un instant, les yeux fixés sur un point, au-dessus de son épaule.

— Je voulais simplement dire que nous devions discuter.

— J'allais justement vous le proposer.

On frappa à la porte. Ils échangèrent un regard interrogateur.

— Qui est-ce? demanda Cam.

— Le serveur. Je vous apporte le petit déjeuner.

Cam dressa un sourcil. Il n'avait pourtant rien commandé... Haussant les épaules, il alla ouvrir la porte. Un homme en veste blanche se tenait derrière une table roulante. Il adressa à Cam un sourire rayonnant.

— Votre café et les croissants, monsieur McCleary.

Cam recula pour le laisser entrer, les yeux fixés sur le visiteur qui se trouvait derrière l'employé. Son large visage fendu par un rire silencieux, Jimbo cligna de l'œil dans sa direction.

— Comment se portent les heureux mariés?

4.

— Toi ! rugit Cam.

Sa grande main s'abattit sur l'épaule de Jimbo, comme s'il craignait de le voir s'échapper. Tandis qu'il le traînait au milieu de la pièce, Jimbo ne cessa pas de sourire benoîtement.

— Espèce de sombre crapule, tu l'as fait exprès, n'est-ce pas ? Sans doute as-tu trouvé cela drôle ?

Le serveur recula, l'air mal à l'aise. En revanche, Jimbo ne semblait nullement incommodé. Il prit l'addition des mains de l'employé et y apposa une signature compliquée avant de la lui rendre. Ensuite, il attendit que l'homme fût parti pour répondre aux accusations de son ami.

— Drôle ? Que suis-je censé trouver drôle ? D'ordinaire, on n'accueille pas ses visiteurs en les traitant de crapules. On leur dit plutôt : « bonjour », ou : « comment allez-vous ? » Bonjour, Lacey.

Dès l'enfance, Mme Newton avait inculqué à sa fille les bonnes manières. Elle l'avait persuadée que l'impolitesse faisait partie des sept péchés capitaux.

— Bonjour.

— Tu vois, Cam ? Tu devrais t'y mettre sérieusement, mon vieux.

— J'envisage d'abord de te réduire en bouillie.

Jimbo ouvrit des yeux innocents.

— Pourquoi es-tu fâché contre moi ? Ce n'est pas moi qui ai commandé ces deux derniers scotches. Je ne t'ai pas forcé à les avaler. Bois donc ton café, tu seras de meilleure humeur.

Ces derniers mots eurent le don de rompre l'enchantement qui maintenait Lacey silencieuse. Une digue se brisa en elle, libérant la panique qu'elle s'était efforcée d'étouffer.

— De meilleure humeur ? De meilleure humeur ? Comment crois-tu que je me sente, en ce moment ? Que nous nous sentions, devrais-je dire ! Je me suis éveillée ce matin auprès d'un homme que je connaissais à peine. Il a fallu que je supporte les félicitations de ma mère avant de trouver... cela !

Elle s'empara du certificat de mariage et le brandit sous le nez de Jimbo.

— Tu sais ce que c'est ? C'est un certificat de mariage ! Notre certificat de mariage. Quand maman a téléphoné, je ne connaissais même pas son nom de famille ! Autre chose... De quel droit as-tu prévenu ma mère de cette... absurdité ?

Jimbo opposa à la jeune femme un visage impassible.

— Je n'y suis pour rien.

— Tiens donc ! Qui l'a mise au courant, en ce cas ?

— J'imagine que quelqu'un a lu la nouvelle dans le journal et l'a appelée. Tenez, j'ai supposé que vous voudriez le garder pour votre album de famille.

Abasourdie, Lacey fixait la photographie qui s'étalait en première page de la feuille de chou... Elle avait été prise dans un moment d'allégresse. Sa tête était posée sur l'épaule de Cam, elle lui souriait avec abandon. Les yeux baissés vers elle, il offrait son profil au photographe. Le couple était idéal, la photographie d'un romantisme charmant... Il y avait de quoi hurler.

Cam posa sur son ami un regard soupçonneux.

— Qu'est-ce qui nous a valu cet honneur?

— Les journalistes appellent cela des articles d'intérêt humain. Ça les change des mauvaises nouvelles. Ecoutez, je n'ai tout de même pas soudoyé le photographe pour qu'il prenne cet instantané.

— Cela ne nous explique toujours pas comment la mère de Lacey a été mise au courant.

La jeune femme se tourna vers Cam, surprise et charmée par le ton protecteur de sa voix.

Jimbo haussa les épaules.

— Comment le saurais-je? Est-ce que tu n'as pas une tante, à Las Vegas?

— Seigneur, oui! Maman a justement mentionné cette horrible tante Phoebé, ce matin. Sur le coup, je n'ai pas établi la relation.

— Il est clair que c'est elle qui a prévenu Mme Newton.

Lacey se frotta les tempes du bout des doigts.

— Cela lui ressemblerait tout à fait. Depuis ce matin, je ne cesse d'espérer qu'il s'agit d'un affreux cauchemar.

— Je ne suis pas non plus au comble du bonheur, remarqua sèchement Cam.

Les yeux innocents de Jimbo allaient de l'un à l'autre.

— Serait-ce déjà la fin de la lune de miel?

— Si tu tiens à la vie, James, tu devrais t'abstenir de ce genre de remarques. Je résiste à peine à l'envie de te réduire en pièces.

Lacey hocha la tête avec approbation, montrant ainsi qu'elle partageait les sentiments de Cam.

— Hé! En quoi ai-je mérité votre vindicte?

Cam fit un pas menaçant dans sa direction.

— Tout simplement parce que tu étais le seul à ne pas avoir bu. Tu aurais pu t'opposer à cet affreux gâchis!

Jimbo remplit deux tasses de café qu'il tendit à ses amis.

— Croyez-moi, je vous jure que j'ai essayé. Mais vous étiez persuadés que ce mariage était une nécessité absolue. Je n'ai pu que vous offrir mes services en tant que témoin… La cérémonie était charmante.

— Pourquoi Franck et Lisa ne se sont-ils pas interposés ?

— Ils étaient dans le même état que vous. D'ailleurs, ils se sont sentis si émus qu'ils ont renouvelé leur propre engagement.

— Seigneur !

L'exclamation de Lacey attira sur elle l'attention des deux hommes. Sa tasse à la main, elle marchait de long en large. Cam l'observait avec calme, apparemment impassible. Les yeux vifs de Jimbo allèrent de l'un à l'autre, brillants d'intérêt. Lacey ouvrit la bouche pour parler, croisa le regard de Cam, la referma et reprit sa déambulation.

Les prunelles claires de Cam errèrent sur le corps élancé de la jeune femme. Il la revit telle qu'elle était un peu plus tôt, le drap remonté sur les seins, sa chevelure dorée croulant sur ses épaules, ses grands yeux verts emplis de trouble à sa vue. Les vapeurs de l'alcool elles-mêmes n'avaient pu le rendre insensible à cette beauté délicate.

Il était heureux de constater que lorsqu'il avait bu, son goût ne se démentait pas… Il écarta cette pensée frivole. Le temps n'était pas à la plaisanterie. Le mariage était une affaire sérieuse. Pourtant, il ne parvenait pas à déplorer la légèreté avec laquelle il s'y était engagé. Sans doute n'était-il pas totalement remis des excès de la veille…

Lacey s'arrêta soudain devant les deux hommes. Elle serrait si fort sa tasse que Cam craignit un instant qu'elle ne la brisât.

— Ce qui est fait est fait, il est inutile de chercher un

coupable. Nous devons maintenant trouver le moyen de nous sortir de cette situation. Ce ne devrait pas être difficile, il suffit de demander une annulation.

Cette proposition fut accueillie par un silence total. Cam posait sur la jeune femme des yeux d'un bleu glacé qui ne livraient rien de ses pensées. Elle se détourna aussitôt. Chaque fois qu'elle le regardait, elle ne pouvait s'empêcher d'évoquer le jeu des muscles souples, sous ses paumes, elle sentait une toison bouclée frôler ses seins. Elle mit un terme brutal à ces élucubrations. Elle affronterait cet aspect de la débâcle plus tard.

— Pourquoi? demanda Jimbo.

Lacey jeta un coup d'œil à Cam, qui ne disait mot.

— Pourquoi quoi? répéta-t-elle.

Jimbo s'exprima lentement, comme si chaque mot avait une importance primordiale.

— Pourquoi demanderiez-vous une annulation?

Les yeux de Lacey s'agrandirent.

— Pourquoi? Il me semble que c'est assez évident.

— Je ne vois pas...

— Tu ne vois pas... De tous les êtres dégénérés...

Dans son indignation, la jeune femme balaya l'espace du bras, projetant une giclée de café sur son poignet. Cam lui prit la tasse des mains avant de lui tendre un mouchoir.

— Expliquez-lui, Cam, j'y renonce!

Jimbo précéda la réponse de Cam.

— Réfléchis, Lacey. Qu'y a-t-il de si épouvantable à être mariée? Ne me dis pas que vous n'étiez pas attirés l'un par l'autre, la nuit dernière. Voilà qui était évident, même pour un dégénéré. Au moins, ta mère cesserait de te harceler. Du moment que tu es mariée, elle ne se fera plus aucun souci pour toi.

— Est-ce qu'il t'est venu à l'esprit que nous nous connaissons à peine?

Jimbo haussa les épaules avec insouciance.

— Et alors? Vous ferez connaissance après le mariage. Autrefois, c'est ainsi que l'on procédait et l'on ne s'en portait pas plus mal.

— Nous ne sommes plus au XVIIIe siècle!

Lacey tourna vers Cam des yeux farouches.

— Pourquoi ne lui dites-vous rien, vous? Vous ne voyez pas à quel point cette idée est ridicule?

Cam posa sur elle un regard énigmatique.

— Cela ne coûte rien d'écouter ses arguments.

— Mais c'est fou! Je suppose que vous ne désirez pas rester marié avec moi, n'est-ce pas?

— Je l'ignore encore.

N'en croyant pas ses oreilles, elle le fixa sans mot dire. Jimbo fit la grimace et s'empara d'un croissant.

— Je vous laisse discuter. Mais réfléchissez-y, ce mariage pourrait se révéler tout à fait positif pour tous les deux. Je pense d'ailleurs que vous êtes faits l'un pour l'autre.

Dès que la porte se fut refermée sur lui, Lacey tourna vers Cam un visage suppliant.

— Vous plaisantiez, n'est-ce pas? Nous ne pouvons pas rester mariés.

— Nous pouvons agir à notre gré. Prenez un peu de café... Je ne sais pas comment vous vous sentez, mais j'ai encore l'impression que ma tête appartient à un autre.

Lacey prit machinalement la tasse qu'il lui tendait. Comme il lui désignait l'une des chaises que le serveur avait approchées de la table, sentant qu'elle vacillait, elle s'assit. Cam prit place en face d'elle et étendit ses longues jambes devant lui.

Les yeux de Lacey tombèrent sur ses propres pieds nus. Elle se hâta de les dissimuler sous son siège, comme pour nier l'intimité qui existait entre eux. Le lit défait se trouvait à un mètre d'elle, la chemise de Cam n'était toujours pas boutonnée, pourtant le fait d'être déchaussée lui apparaissait soudain comme le comble de l'indécence.

— Comment vous sentez-vous? répéta-t-il.

Il s'était exprimé avec une telle douceur que les larmes montèrent aux yeux de la jeune femme.

— Je suis dans une confusion totale. Peut-être ne me croirez-vous pas, mais je n'ai pas l'habitude de me réveiller dans un lit auprès d'un inconnu.

— J'en suis persuadé.

Lacey osa lever les yeux vers lui. Il posait sur elle un regard dépourvu du moindre jugement. Elle prit une profonde inspiration. Au fond, la situation aurait pu être pire, par exemple s'il s'était conduit en mufle au lieu de la rassurer. Pourtant, ils devaient trouver le moyen de sortir de cette folle aventure, de préférence le plus vite possible. Ensuite, il ne lui resterait plus qu'à retrouver son équilibre...

— Je sais que vous avez voulu plaisanter, insista-t-elle. Il n'est pas toujours facile de se débarrasser de Jimbo.

— Exact. Détrompez-vous, cependant : je ne plaisantais pas. Je crois que nous devons envisager toutes les solutions, je dis bien toutes.

Voyant que Lacey ouvrait des yeux ronds, il sourit.

— Est-ce si pénible, d'être mariée avec moi?

— Bien sûr que non! Je veux dire... Je vous connais à peine.

Elle se tut, cherchant vainement à rassembler ses esprits. Elle avait conscience d'avoir rougi comme une jeune épousée. Non... Ce n'était pas le terme adéquat, elle n'était pas une épousée... C'est-à-dire que si... Elle l'était, mais pas vraiment! Elle secoua la tête, incapable de mettre un peu d'ordre dans ses idées.

— Je n'ai rien contre vous, dit-elle enfin, mais nous

ne nous connaissons pas. En général, on ne se marie pas dans ces conditions.

— En général... En ce qui nous concerne, c'est déjà fait. Vous ne pensez pas que le destin s'en est sans doute mêlé ?

— Vous voulez dire la boisson !

— Sans doute, mais maintenant que le mal est fait, si j'ose dire, nous devrions réfléchir un peu avant d'adopter une solution extrême.

Lacey but une gorgée de café. Etait-il en train de suggérer qu'ils pouvaient rester mariés? Cela n'avait aucun sens ! Elle s'apprêtait à le lui dire en quelques mots bien sentis, lorsqu'elle s'aperçut que cette perspective n'avait rien de repoussant.

— Pensez-y, Lacey. Est-ce vraiment une si mauvaise idée? J'ignore où vous en êtes, mais en ce qui me concerne, je n'ai pas eu souvent l'occasion de rencontrer l'âme sœur. Apparemment, vous non plus. Puisque nous avons franchi le pas ensemble, pourquoi ne pas apprendre à nous apprécier?

Lacey écarta de son visage une longue mèche dorée. Elle brûlait d'envie de prendre une bonne douche chaude et d'enfiler des vêtements propres. Si seulement elle avait pu se retrouver chez elle, dans son propre lit... Seule.

Elle lança un coup d'œil à Cam. Comment parvenait-il à rester aussi calme ? On eût dit que cette situation ne le troublait pas... C'était un homme sur lequel on pouvait s'appuyer. Mais elle n'avait besoin de personne ! Elle était libre, fière de son indépendance. Aujourd'hui, une femme ne se mariait plus pour être entretenue... Oui, mais retrouver chez soi l'élu de son cœur, c'était autre chose !

Lacey réprima un gémissement. Comment pouvait-elle seulement envisager cette folie? Elle avait commis une erreur monumentale, ce n'était quand même pas une raison pour la confirmer.

Elle secoua la tête de gauche à droite.

— Non, c'est impossible. Intéressant, mais impensable.

— Ne tranchez pas avant d'y avoir réfléchi.

— C'est inutile. L'idée même est absurde.

Cam respira profondément.

— Cela mérite d'être discuté, en tout cas.

— Je vous assure que non. Sortons-nous de là le plus vite possible. L'annulation doit pouvoir être obtenue.

— Elle n'est envisageable que lorsque le mariage n'a pas été consommé.

La voix tranquille de Cam l'atteignit de plein fouet. Elle ignorait s'il avait raison, mais elle était trop gênée pour creuser la question. C'était la première allusion qu'il faisait à ce qui s'était passé entre eux. Jusque-là, elle avait vaguement espéré qu'il souffrît d'amnésie.

— Très bien. Divorçons, en ce cas. Puisque nous avons réussi à nous marier en une soirée, nous devons être capables de nous séparer presque aussi vite.

— Lacey...

Quelque chose, dans la voix de Cam, incita la jeune femme à lever les yeux vers lui. Il paraissait désolé, pourtant la ligne nette de sa mâchoire suggérait qu'il n'était pas disposé à abandonner le sujet.

— Oui ?

— La discussion n'est pas terminée, madame McCleary. Il n'est pas dans mes habitudes d'épouser une jeune femme, de passer la nuit avec elle et de divorcer ensuite. Ce n'est tout simplement pas mon style... Surtout quand la jeune femme en question exerce sur moi un indéniable attrait.

Bien qu'il eût souri en prononçant ces derniers mots, Lacey sentit ses joues s'empourprer. Comme pour mieux combattre la tentation, elle secoua vigoureusement la tête.

— On ne peut rien fonder sur un contrat signé dans les vapeurs de l'alcool.

— Pourquoi pas? Si nous ne nous étions pas plu, nous ne nous serions pas mariés. N'essayez pas de me faire croire que vous êtes insensible à mon charme.

— Non! Cela ne signifie pas pour autant que je puisse partager votre vie!

— Il est vrai que nous sommes allés un peu vite, mais il est probable que en serions arrivés au même point, de toute façon.

— Vous voulez dire... dans une chambre d'hôtel?

— Je veux dire que nous aurions peut-être fini par nous marier.

Lacey ouvrit la bouche pour protester... et découvrit qu'elle n'avait aucun argument à lui opposer. Elle avait été attirée par Cam, plus attirée qu'elle ne voulait bien l'admettre. Leur relation aurait-elle évolué vers le mariage, ainsi qu'il le prétendait? Elle écarta cette éventualité d'un geste.

— Non!

Sa voix manquait de fermeté, elle s'en aperçut. Cam l'avait remarqué aussi.

— Lacey, vous avez dormi avec moi, la nuit dernière. Vous n'êtes visiblement pas coutumière du fait.

— J'avais bu!

— Entendu, vos défenses habituelles étaient donc hors d'usage. Cela nous permettra peut-être de sauter les préliminaires pour aborder le cœur du problème.

— Vous vous prenez pour Sigmund Freud?

— Allons, Lacey, donnez-nous une chance. Faisons un essai.

La jeune femme se leva d'un bond.

— C'est absurde! Si ça se trouve, nous ne nous

plairons même plus quand nous nous connaîtrons mieux. Sans parler des formalités pratiques. J'ignore où vous habitez, vous ne savez pas où je vis. Qui de nous deux va emménager chez l'autre ? Vous êtes peut-être du genre à semer vos vêtements un peu partout. Et si vous détestiez ma mère... Seigneur, ma mère ! Comment vais-je lui expliquer tout ça ?

Se levant à son tour, Cam lui prit les mains. Elle s'immobilisa au contact des paumes calleuses, d'où irradiait une sorte de force tranquille.

— Vous me plaisez déjà, affirma-t-il, et je ne pense pas changer d'avis sur ce point précis. Pour ce qui est des questions matérielles, sachez que je suis relativement ordonné. En outre, je possède à Glendale une maison suffisamment grande pour que vous vous y installiez. Je dois admettre qu'un déménagement me poserait des problèmes, parce que mon atelier se trouve dans le garage. Mais si vous détestez cet endroit, nous irons où vous voudrez. Quant à votre mère, je suis certain de l'aimer. Dans le cas contraire, je suis capable de me montrer courtois. Et vous n'avez rien à lui expliquer. Dites-lui seulement que nous n'avons pu résister à l'envie de convoler, dès que nous nous sommes trouvés au milieu des machines à sous et des tables de jeu. Submergés par l'émotion, nous nous sommes rués dans la chapelle la plus proche pour échanger nos vœux sous un bouquet de néons.

Lacey ne put s'empêcher de rire. Il parvenait à rendre leur aventure presque comique. D'ailleurs, sa mère était assez romanesque pour apprécier un tel récit.

Refusant de se laisser séduire, elle baissa les yeux vers leurs mains enlacées.

— Cela semble presque raisonnable, lorsque vous en parlez, pourtant c'est fou.

— Nous sommes des adultes sains d'esprit, si nous

menons correctement l'entreprise, cela marchera. Lacey... Je n'attendrai rien de vous tant que vous ne vous sentirez pas prête. Ma maison comporte plusieurs chambres à coucher... et je ne vous presserai pas.

La jeune femme rougit. Elle appréciait cet engagement, mais elle était surprise de découvrir qu'elle en avait besoin. Elle avait confiance en lui...

Se sentant faiblir, elle répéta :

— C'est fou.

— Mais cela vaut d'être tenté, vous ne croyez pas? Qui ne risque rien n'a rien.

Elle leva les yeux vers lui dans l'espoir de découvrir ce qui se cachait sous ce calme inaltérable. Ce pouvait n'être qu'une façade, songea-t-elle.

— Vous le voulez vraiment, n'est-ce pas?

— Oui.

— Pourquoi?

Une lueur fugace s'alluma au fond des yeux bleus. Il lui serra brièvement les doigts avant de retourner s'asseoir sur sa chaise.

— Ma mère a toujours prétendu que j'étais incapable de reconnaître mes erreurs. C'est peut-être pour cette raison que je vous propose un mariage à l'essai.

Lacey reprit sa tasse et s'absorba dans la contemplation de son café, comme pour y trouver une réponse à ses questions. L'entreprise paraissait absurde, et pourtant... Cet époux que le hasard lui offrait semblait sortir tout droit d'un rêve. Il n'était pas seulement séduisant, il était gentil, intelligent et délicat. Pour couronner le tout, il possédait le sens de l'humour. Peut-être avait-elle su exactement ce qu'elle faisait, la nuit dernière, en épousant un étranger. Ces quelques verres lui avaient permis d'écarter les obstacles qu'elle avait érigés entre elle et la vraie vie... Si elle refusait d'accorder une chance à ce mariage de fous, elle savait qu'elle le regretterait durant toute son existence.

Elle leva les yeux vers Cam. A l'intensité de son regard, elle comprit combien sa réponse était importante pour lui.

— Entendu, dit-elle.

Elle avait beau chercher, elle ne trouvait pas d'autre mot pour signer cet accord capital.

Cam lui adressa un sourire qui la fit trembler.

— Bravo! J'ai le sentiment que nous réussirons.

Elle rit faiblement.

— Tant mieux.

Il lui tendit la main. Lacey la regarda un long moment avant de lui confier la sienne. Les doigts de Cam se refermèrent autour des siens, chauds et forts.

— Le marié embrasse toujours la mariée, affirma-t-il.

Elle cessa de respirer pendant un court instant.

— Vous ne pensez pas l'avoir suffisamment fait la nuit dernière?

— Cela ne compte pas. C'est maintenant que tout commence vraiment. Vous voulez bien que je vous embrasse, Lacey?

Incapable de prononcer un mot, elle hocha la tête.

Quand la bouche de Cam effleura la sienne, les mains de la jeune femme se posèrent sur sa large poitrine. Il l'attira doucement contre lui, comme s'il comprenait qu'elle avait besoin de temps pour s'abandonner totalement. Leur baiser fut d'abord amical et tendre, à l'image de l'accord qu'ils venaient de passer. Puis, la passion les embrasa, balayant la douceur. Lacey la sentit se répandre dans ses veines, juste au moment où Cam s'écartait d'elle. Elle poussa un petit cri de frustration.

Les paupières de la jeune femme battirent. Levant les yeux, elle lut dans ceux de son « mari » une faim égale à celle qu'elle ressentait.

Elle se détourna, surprise par l'intensité de son propre désir. Sans savoir pourquoi, elle se prit soudain à croire dans la réussite de cette folle entreprise.

5.

— Vous pensez vraiment qu'il est inutile de prévenir nos amis de notre départ ? Franck et Lisa risquent de s'inquiéter.

Cam ouvrit la porte donnant sur l'escalier.

— Ils devineront que nous sommes rentrés sans eux. Vous tenez absolument à annoncer à Jimbo que nous suivons son avis ?

— Non ! Et vous êtes sûr qu'il faut emprunter ce chemin ? Je vous rappelle que nous sommes au huitième étage.

— Cela ressemblerait tout à fait à Jimbo d'avoir organisé une petite cérémonie d'accueil devant les portes de l'ascenseur. Il s'apprête vraisemblablement à nous asperger de riz.

— Mais comment saurait-il que nous allons descendre ?

Cam s'arrêta un instant au cinquième étage.

— J'ai appelé la réception pour qu'on nous apporte la note, vous vous souvenez ? Il peut très bien leur avoir demandé de l'avertir dès que nous déciderions de quitter l'hôtel.

Un peu essoufflée, Lacey insista :

— Vous ne seriez pas légèrement paranoïaque, par hasard ? Jimbo n'est pas un agent de la CIA.

Cam lui lança un coup d'œil par-dessus son épaule.

— Vous ne le connaissez pas depuis aussi longtemps que moi sinon vous sauriez combien il peut se montrer retors. Il s'est bien gardé d'effrayer l'employé. Pour obtenir le renseignement, il lui a tout simplement dit qu'il voulait féliciter les nouveaux mariés.

Lacey cessa d'argumenter. Elle fréquentait Jimbo depuis un certain nombre d'années, assez en tout cas pour le croire capable des pires farces. D'ailleurs, ils arrivaient au rez-de-chaussée.

Cam ouvrit prudemment la porte du hall. Le cliquetis des machines à sous leur parvint, mêlé au bourdonnement habituel des grands hôtels. Cam prit la main de Lacey.

— Regardez!

Au milieu du hall, se trouvait un atrium rempli de plantes vertes. Emue par le contact de ses doigts, la jeune femme ne comprit pas tout d'abord ce qu'il lui disait.

— Je vous dis qu'il se cache parmi les feuilles!

Il n'y avait pas à se tromper : Jimbo dissimulait tant bien que mal son corps massif derrière les plantations qui ornaient le hall. Il fixait les ascenseurs, attendant visiblement quelque chose. Lacey sourit à son compagnon en signe de gratitude. Grâce à sa perspicacité, il leur avait épargné une scène pénible.

Cam releva les sourcils de façon comique.

— Ayons l'air naturel, afin d'échapper aux soupçons.

La consigne n'était pas aussi facile à suivre qu'on aurait pu le croire. Il semblait à Lacey que tout le monde devait remarquer ses jambes nues, sa robe froissée et son visage dépourvu de maquillage. Combien de gens avaient-ils vu cette stupide photographie, dans le journal ? La jeune femme tourna des yeux inquiets vers Cam, qui la rassura d'un clin d'œil avant de l'entraîner vers la sortie.

Visiblement, la population de Las Vegas avait d'autres préoccupations en tête, car ils gagnèrent la rue sans encombre. Après l'air conditionné de l'hôtel, ils furent surpris par la chaleur ambiante. La station de taxis se trouvait sur la gauche, pourtant Cam entraîna sa compagne vers la droite.

— Que faites-vous?

— Nous ne prenons pas de taxi, j'ai une meilleure idée.

Docile, elle se laissa guider jusqu'au parking de l'hôtel. Où Cam voulait-il en venir? Elle ne le comprit qu'en approchant d'une grosse voiture noire. La Cadillac de Jimbo faisait l'orgueil de son propriétaire. Depuis qu'il l'avait remise en état, il ne tarissait plus sur le charme des vieilles voitures et traitait la sienne comme si elle avait été en porcelaine.

— Qu'avez-vous l'intention de faire?

— Nous allons emprunter cette merveille pour nous rendre à l'aéroport.

— Vous voulez voler la voiture de Jimbo!

Cam ouvrit la portière avec nonchalance.

— Bien sûr. Vous avez une objection?

— Quand Jimbo s'en apercevra, il préviendra la police qui se lancera aux trousses des voleurs. On nous rattrapera et on nous mettra en prison, ce qui constituera un magnifique final. J'aurai vraiment passé le cap de ce vingt-cinquième anniversaire avec tout le faste possible

Cam s'était glissé derrière le volant et fouillait sous le tableau de bord avec une apparente concentration. Lacey n'était même pas sûre qu'il avait entendu ses prédictions. Quand le moteur se mit à ronfler, il lui adressa un sourire triomphant.

— Montez! Et ne vous inquiétez pas pour la police, je vais m'arranger pour que Jimbo connaisse l'identité des coupables.

Lacey hésita un instant avant de s'installer à son côté. Si elle n'y prenait pas garde, cet homme lui ferait commettre les pires folies, rien qu'en posant sur elle ses admirables yeux bleus...

La Cadillac quitta le parking. Elle s'était à moitié attendue à ce que le son strident d'une sirène retentît derrière eux, mais rien ne se produisit.

— Comment allez-vous vous y prendre?

— Vous allez le voir.

Après avoir fait le tour de l'hôtel, il se gara devant l'entrée sans pour autant couper le contact. D'un geste, il éloigna l'employé en livrée qui se hâtait dans leur direction, puis il déclencha l'avertisseur. Aussitôt, trois notes inimitables fendirent l'espace, franchissant les portes de l'hôtel. Ils n'eurent pas à attendre longtemps : au bout de quelques secondes, la silhouette massive de Jimbo parut sur le seuil. Dès qu'il aperçut sa Cadillac, son visage s'allongea.

— Eh là, cria-t-il.

Cam lui adressa un signe amical de la main.

— A bientôt, mon ami, et surtout, rentre bien chez toi.

— McCleary!

Le hurlement de Jimbo ne parut pas émouvoir Cam, qui fit gronder le moteur. Comme ils s'éloignaient du trottoir, Lacey se retourna pour jeter un dernier regard à leur ami. Planté au milieu de la chaussée, il était l'image même de la frustration.

Dès qu'il eut disparu de son champ de vision, Lacey lança à Cam un regard légèrement désapprobateur.

— Il avait l'air hors de lui!

Un sourire en coin creusa la joue de Cam.

— Je sais.

— Vous auriez pu lui dire que nous laisserions sa voiture à l'aéroport. Il s'imagine peut-être que nous allons regagner Las Vegas par la route?

— Je suis certain qu'il pensera à vérifier si nous avons pris l'avion. Je vais la garer dans un endroit bien visible, et je demanderai à un gardien de la surveiller. D'ailleurs, Jimbo mérite bien une petite punition. Je ne me souviens sans doute pas de tous les détails, mais je suis persuadé que notre ami est en grande partie responsable de ce qui nous arrive. Je dois dire que je rirais bien, s'il ne s'apercevait qu'à Los Angeles que ce précieux jouet est resté à Las Vegas.

Le rire de Cam était empreint d'une telle malice que Lacey ne put s'empêcher de se joindre à lui.

Le voyage jusqu'à Los Angeles fut calme. Plus elle approchait de chez elle, plus les dernières vingt-quatre heures paraissaient à Lacey irréelles. Plus que jamais, il lui semblait qu'elle allait s'éveiller d'une minute à l'autre.

Elle se tourna vers le hublot. Le ciel était bleu clair, à peine strié de quelques nuages effilés. Ce mariage à l'essai était-il une folie? Sa raison lui criait que oui. Il fallait déjà une bonne dose d'optimisme aveugle pour accepter de vivre avec un être aimé. Mais s'il s'agissait d'un inconnu, le pari devenait insensé.

Si elle avait eu une graine de bon sens, elle lui aurait dit tout de suite qu'elle préférait divorcer. Peut-être même en serait-il soulagé.

Pourtant, elle ne se tourna pas vers lui pour lui annoncer cette décision. Elle se sentait habitée par un sentiment d'anticipation joyeuse qui l'étonnait elle-même. Il lui semblait par moments que Cam McCleary allait imprimer à sa vie le choc dont elle avait besoin.

Une fois à Los Angeles, ils louèrent une voiture. Cam conduisit, ce dont Lacey lui fut reconnaissante. Son esprit était trop confus pour qu'elle pût se concentrer sur la conduite. Il paraissait si calme qu'elle doutait qu'il fût harcelé par les doutes qui la troublaient elle-même.

— Je ne sais même pas ce que vous faites pour vivre, dit-elle après un long moment de silence.

— Je suis plus ou moins charpentier. Je fabrique des meubles, des bureaux, ce genre de choses.

— Cela paraît intéressant.

Elle avait parlé avec un manque d'enthousiasme qui fit sourire Cam.

— Je gagne décemment ma vie, suffisamment en tout cas pour entretenir une femme.

— Je vous remercie, mais je n'ai nul besoin d'être entretenue. D'ailleurs, notre mariage n'est pas...

— Oui?

— Je veux dire que nous ne sommes pas... Enfin, même s'il s'agissait d'un vrai mariage, je garderais ma boutique.

— Je n'ai rien contre. Je suppose qu'elle marche bien?

— En effet.

— Qui sait? Peut-être cesserai-je de travailler pour vous laisser subvenir aux besoins du foyer.

Elle lui adressa un sourire contraint. Elle ne parvenait pas à plaisanter avec lui comme s'ils étaient de vieux amis. Quant à lui, il paraissait ignorer l'inquiétude du lendemain.

— Vous n'êtes vraiment pas obligé de me déposer chez moi, dit-elle, je sais que Pasadena n'est pas sur votre chemin.

— Ma mère m'a toujours dit qu'un gentleman se devait de raccompagner sa cavalière.

— Drôle de cavalière! Oh, mon Dieu!

Cam leva aussitôt le pied de la pédale d'accélération.

— Qu'y a-t-il?

— Votre mère... Je l'avais complètement oubliée!

— J'ignorais que vous étiez censée vous souvenir d'elle.

— Elle va me détester.

— Elle vous adorera, au contraire.

— Comment serait-ce possible? Elle ne me connaît pas, et chacun sait que les mères apprécient peu la femme qui leur a volé leur fils.

— La mienne n'est pas du genre possessif.

Lacey avait pris une mine lugubre.

— Elles le sont toutes. Je me faisais du souci pour la mienne, mais au moins je sais qu'elle vous aimera. Elle aurait chéri n'importe quel homme, pourvu qu'il demande ma main.

— Je suis flatté. Ecoutez, faites-moi confiance quand je vous affirme que vous plairez à ma mère. D'ailleurs, elle vit en Virginie.

— Et le reste de votre famille? Vous ne m'avez pas dit que vous étiez douze ou treize?

— Seulement sept. La plupart de mes frères et sœurs vivent aux quatre coins du pays. La seule que vous risquiez de rencontrer est Claire, avec qui j'ai l'habitude de passer les fêtes de Noël. Nous avons encore le temps d'y penser.

Ces précisions ne suffirent pas à rassurer Lacey.

Cam trouva tout de suite une place en bas de chez elle, ce qui n'étonna même pas la jeune femme. Tandis qu'ils se dirigeaient vers l'immeuble, elle se demanda ce qu'il allait penser de son appartement. Cela n'avait aucune importance, évidemment. La façon dont elle avait décoré son intérieur ne le regardait en rien et elle se moquait bien de son opinion...

L'ascenseur les déposa trop vite à son étage. Lacey s'efforça de retarder le moment crucial en fouillant longuement dans son sac à la recherche de la clef. Enfin, elle ouvrit la porte et s'écarta pour laisser passer Cam, non sans lui lancer un regard de défi.

Elle avait passé des mois à choisir cet endroit, à consulter des magazines. Elle avait dépensé une petite fortune, mais le résultat en valait la peine puisqu'elle vivait dans un cadre sorti tout droit de *Maison et Jardin*.

Lacey effleura des yeux les tapisseries écarlates et or, puis elle se tourna vers Cam.

— Cela vous déplaît, n'est-ce pas?

— Non... C'est... joli, vraiment très joli.

Il regarda le canapé pour lequel elle avait sacrifié un mois de bénéfices, puis la sculpture de métal qui occupait un coin de la pièce.

— Joli?

— Eh bien... Je veux dire, joliment intéressant. Ma maison ne ressemble en rien à la vôtre.

Les yeux de la jeune femme allèrent de son « mari » à l'œuvre d'art qu'il était en train d'étudier. Elle comprenait soudain qu'elle avait vécu pendant trois ans dans ce décor sans jamais réaliser à quel point il était superficiel.

Cam parut chercher ses mots.

— On voit que vous vous êtes donné du mal pour obtenir ce résultat.

Elle faillit éclater de rire. Il était clair qu'il avait dû se creuser la cervelle pour trouver ce maigre compliment. Voyant qu'elle pouffait, il releva un sourcil.

— J'ai dit quelque chose de drôle?

— Vous détestez cet endroit, n'est-ce pas?

— Eh bien... Ce n'est pas exactement mon style. Je crains maintenant que vous n'appréciiez pas ma maison. Elle est très différente, plus... simple.

— Vous voulez dire moins prétentieuse?

— Non... C'est juste que votre décoration ne correspond pas vraiment à mon goût.

— Je commence à croire qu'elle n'a rien à voir non plus avec le mien. Bon ! Vous voulez un café ?

Cam se passa la main dans les cheveux.

— Il vaut mieux que je parte. J'ai besoin de prendre une douche chaude. Quant à vous, je suppose que vous avez envie d'être un peu seule.

— Oui... sans doute.

Elle n'aurait su dire pourquoi, mais cette idée ne la tentait guère.

— Vous ne changerez pas d'avis, n'est-ce pas ?

Ses yeux rencontrèrent ceux de Cam. L'espace d'une seconde, elle se perdit dans leur profondeur bleue, puis elle secoua lentement la tête.

— Non, je ne changerai pas d'avis.

— Très bien. En ce cas, je propose que nous déjeunions ensemble, demain. Nous pourrons discuter ensemble les modalités de notre installation.

— Entendu.

A cet instant, elle réalisa avec surprise combien elle désirait le revoir. Elle lui donna l'adresse de la boutique, puis elle le raccompagna jusqu'à la porte. Au moment de la quitter, il parut hésiter. Son regard erra sur la chevelure emmêlée de la jeune femme, avant de s'attarder sur sa bouche. Elle s'attendait vaguement à ce qu'il l'embrassât, mais il se contenta de lui adresser un bref sourire avant de s'éloigner.

Lentement, la jeune femme se dirigea vers la salle de bains. Elle était sans doute folle, mais l'idée qu'elle était mariée à un certain Cameron McCleary la remplissait d'une soudaine allégresse.

— Tu es conscient que j'aurais pu porter plainte ?

Cam leva les yeux. La silhouette massive de Jimbo se profilait sur le seuil de son atelier.

— Tu es conscient, naturellement, que j'aurais pu t'étriper?

Jimbo fit quelques pas dans la pièce, le visage empreint d'une incrédulité horrifiée.

— M'étriper! Ce n'est pas moi qui ai volé la voiture de mon meilleur ami pour l'abandonner dans un parking, à la merci du premier venu.

— Etant donné le prix de l'essence, personne n'en voudrait.

— Tu n'as pas pensé à mon angoisse?

— Tu mériterais de souffrir mille morts.

— Qu'est-ce que j'ai fait?

Cam ne fut nullement impressionné par l'expression angélique de Jimbo. Posant le banc de bois sur lequel il travaillait, il regarda son ami avec des yeux inflexibles.

— Je ne sais exactement ni comment ni pourquoi, mais je suis absolument sûr que tu as tout organisé.

— De quoi parles-tu? De ton mariage? Je te jure que j'ai tout fait pour que vous changiez d'avis, toi et Lacey!

— Laisse-moi rire!

— Ecoute, j'admets que selon moi vous formez un couple idéal. Je ne nie pas non plus que j'ai arrangé votre rencontre, mais c'est tout!

Haussant les épaules, Cam s'absorba de nouveau dans sa tâche. D'autres auraient sans doute saisi l'allusion, mais Jimbo n'avait jamais fait preuve de beaucoup de tact.

— Eh bien, où en êtes-vous? reprit-il au bout d'un moment.

Cam réprima un sourire.

— Où nous en sommes?

— Oui. Toi et Lacey.

— Moi et Lacey? A quel propos?

Jimbo frémit d'impatience.

— A propos de votre mariage, évidemment! Vous avez décidé de faire un essai?

Cam leva vers son ami des yeux surpris.

— Tu plaisantes ! On ne se lance pas dans une pareille aventure avec quelqu'un que l'on ne connaît pas.

Les épaules de Jimbo se courbèrent.

— J'espérais que vous la tenteriez.

— Nous la tentons.

Jimbo mit quelques secondes avant de comprendre.

— Répète !

— Lacey s'installe ici demain.

Le sourire de Jimbo lui fendit le visage en deux.

— Vous étiez destinés l'un à l'autre, je le savais !

— Cela reste à prouver.

— Mon flair ne me trompe jamais.

Cam éclata de rire, toute rancune envolée.

— J'espère que tu as raison.

En fait, il n'avait jamais rien désiré avec autant d'intensité. Comme prévu, il avait revu Lacey le lendemain de leur retour de Las Vegas. Et voilà qu'elle emménageait chez lui... Il avait du mal à croire que sa vie avait pu basculer aussi complètement en une seule semaine. Huit jours auparavant, il cherchait ce qui lui manquait. Peut-être Lacey Newton était-elle le piment qui corserait son existence...

6.

Ainsi qu'il l'avait précisé, la demeure de Cam ne ressemblait en rien à celle de Lacey. C'était une vaste maison, construite sur les collines qui dominaient Glendale. Ses murs blancs et son toit de tuiles rouges évoquaient la tradition espagnole, en honneur dans la région.

Après avoir tourné dans une allée au sol de briques, Lacey se gara sous les branches touffues d'un énorme chêne. Elle coupa ensuite le contact et resta un long moment immobile.

Pendant toute la semaine qui venait de s'écouler, elle n'avait jamais vraiment cru que cet instant arriverait. Même lorsqu'elle chargeait ses valises dans son coffre, elle n'y avait pas cru. Maintenant que la réalité s'imposait à elle, elle se sentait au bord de la crise de nerfs. Pourquoi était-elle venue ?

Elle n'eut pas le temps de répondre à cette question, car Cam sortit de la maison et se dirigea vers elle. Elle le regarda, les mains agrippées au volant, s'étonnant une fois de plus que sa respiration fût coupée à sa vue.

— Vous comptez entrer, ou vous installer définitivement dans le jardin ?

Une main sur la vitre, il se pencha pour l'observer. La jeune femme détacha avec difficulté ses doigts du volant.

— J'essayais simplement de me faire une première impression.

— Ce n'est pas grand, mais on est au calme. Ainsi que je vous l'ai dit, si ma maison vous déplaît, nous irons où vous voudrez.

Il ouvrit la portière et Lacey sortit de sa voiture avec le sentiment qu'elle accomplissait un pas décisif, comme si son mariage ne l'était pas assez!

— Les environs sont très agréables. Vous vivez ici depuis longtemps?

— Huit ans. Mes grands-parents m'ont légué cette maison. J'ai songé à la vendre, mais l'atelier était déjà installé. Par ailleurs, elle est bien située. J'ai finalement décidé de rester.

— Je suis certaine de l'aimer.

— Je l'espère.

Cam s'était exprimé avec une sincérité qui apaisa un peu les inquiétudes de Lacey. Il se tourna vers la petite voiture de la jeune femme.

— Vous n'avez pas dû amener grand-chose.

— Principalement des vêtements. J'ai pensé que puisque la boutique n'est pas éloignée de mon appartement, je passerai prendre quelques affaires de temps à autre. Il me reste trois mois de préavis, de toute façon.

Ce qui lui permettrait de réintégrer ses pénates si l'expérience se concluait par un échec... Si cette pensée effleura l'esprit de Cam, il n'en laissa rien paraître. Passant devant elle, il se pencha par la portière pour attraper une valise posée sur la banquette arrière.

Comme il se redressait, la jeune femme fut une fois de plus frappée par la largeur de ses épaules. Il portait un jean et une chemise bleue au col ouvert. Malgré elle, Lacey évoqua les muscles puissants, jouant sous la peau bronzée. Leurs yeux se croisèrent. Etait-ce un effet de son imagination? Il sembla à Lacey qu'il avait suivi le cours de ses pensées. Rougissante, elle se détourna tandis qu'il s'éloignait en direction de la maison.

— Venez! Je vais vous montrer la chambre que j'ai choisie pour vous.

— Merci.

Après avoir claqué la portière de sa voiture, Lacey suivit Cam le long d'une allée dallée. Parvenu à la maison, il fit coulisser une porte-fenêtre et s'écarta pour la laisser passer.

L'espace d'une seconde, la jeune femme hésita. En d'autres circonstances, son mari l'aurait enlevée dans ses bras pour lui faire franchir le seuil de leur future demeure. Evidemment, la situation ne se prêtait pas à un tel romantisme... Elle n'aurait su dire si elle le regrettait.

Retenant inconsciemment son souffle, Lacey pénétra dans sa nouvelle maison. Aussitôt, elle remarqua les murs blancs, le parquet étincelant et les gros fauteuils de cuir sombre. Une cheminée rustique flanquée de deux armoires en érable occupait un coin de la pièce. De l'autre côté, des flots de lumière se déversaient par les baies vitrées.

— Vous supporterez de vivre ici?

Elle devina une réelle inquiétude, sous la légèreté du ton. Il souhaitait vraiment qu'elle se plût chez lui...

La jeune femme hocha lentement la tête.

— J'aime beaucoup la façon dont vous avez arrangé cette pièce.

Surprise, elle comprit que c'était vrai. Grâce au plafond élevé, sur lequel se détachaient les poutres apparentes, la salle de séjour n'était pas écrasée par son ameublement massif. Dans sa simplicité presque austère, la pièce avait quelque chose d'apaisant.

— C'est très... beau.

— Je suis heureux que cela vous plaise.

La lueur de joie qui brillait au fond des yeux bleus réchauffa le cœur de Lacey.

— Avant de vous faire les honneurs de la maison, je vais vous montrer votre chambre, proposa Cam.

Un bruit étrange empêcha Lacey de répondre. Etonnée, elle lança à son mari un coup d'œil interrogateur.

— C'est Derwent, expliqua-t-il.

Une boule de fourrure fauve jaillit de dessous un fauteuil et se précipita vers eux. Instinctivement, Lacey recula. Pendant quelques secondes, elle chercha où se trouvaient la tête et la queue de l'animal, dont l'espèce même était douteuse. Un aboiement aigu lui apprit qu'il s'agissait d'un chien. Posant la valise de Lacey, Cam se baissa pour prendre la bestiole d'une main.

— Voici Derwent. Il est le propriétaire de la maison, du moins essaiera-t-il de vous le faire croire. Vous n'avez rien contre les chiens?

— Jusqu'ici, je les ai peu fréquentés.

— Bien qu'il soit trop gâté, Derwent est très gentil.

Lacey posa sur l'animal un regard sceptique. De ses yeux vifs, il l'observait avec une égale curiosité.

— Qu'est-ce que c'est?

— Un yorkshire. Ils sont très intelligents.

D'une main timide, elle gratta Derwent derrière l'oreille. Aussitôt, il ferma les yeux de plaisir.

— Dorénavant, il est votre esclave pour la vie. Il aime tout le monde, sauf Jimbo, à qui il montre les dents.

— C'est un chien qui a du goût.

Cam se baissa pour poser Derwent par terre. Aussitôt, il se précipita vers la porte.

— A propos de Jimbo... Il est venu me voir hier.

— Il a récupéré sa voiture?

— Il m'a justement menacé de me poursuivre en justice.

— Et vous l'avez menacé de l'assassiner?

Cam reprit la valise et lui fit signe de le suivre.

— C'est à peu près cela.

— Vous lui avez parlé de notre... essai ?

— Oui. Il prétend que nous sommes faits l'un pour l'autre.

Tout en parlant, Cam poussa une porte. Il la précéda dans la chambre et posa la valise sur le sol.

— Espérons qu'il a raison...

Le cœur battant à un rythme légèrement accéléré, Lacey examinait la pièce. Elle était petite, mais dégageait la même impression de paix que le reste de la maison. Pendant combien de temps serait-elle son domaine ? Lorsqu'elle en sortirait, serait-ce pour s'installer dans celle de Cam ou pour retourner dans son appartement ?

— Je vais vous laisser, fit Cam en lui adressant une petite grimace compréhensive. Pendant que vous vous installez, je vais préparer le dîner.

— Vous avez besoin d'aide ?

— Pour aujourd'hui, je me débrouillerai. Mais n'ayez crainte, vous aurez votre tour de cuisine.

— Tant mieux.

Lorsqu'il fut parti, Lacey déposa en soupirant sa valise sur le lit. Prendre la vie au jour le jour, c'était ce qu'elle s'était promis de faire. C'était tout ce qu'elle pouvait faire...

— J'espère que vous aimez le poulet frit.

— Vous plaisantez ! Ma mère est née en Georgie !

— Je me suis mal exprimé, en ce cas. J'espère que *mon* poulet frit vous plaira.

— J'en suis certaine. Je ne peux toujours pas vous aider ?

— Asseyez-vous et détendez-vous. La chambre vous convient ?

— Elle est parfaite. C'est vous qui avez fait la commode ?

— Elle est le fruit de récents efforts.

— Félicitations, elle est ravissante.

— Merci.

Cam retira les morceaux de poulet de la poêle, puis il les déposa sur une serviette afin d'ôter le surplus d'huile. Lacey l'observait en silence. C'était le premier homme qu'elle voyait occupé à cette simple tâche. Il semblait parfaitement à son aise.

Dehors, une pluie fine s'était mise à tomber, isolant la maison du reste du monde. Peu à peu, Lacey se laissait envahir par la calme quiétude qui régnait dans la cuisine...

Le poulet était parfaitement cuit, ainsi que les pommes de terre qui l'accompagnaient. Tout en mangeant, Cam et Lacey causèrent de tout et de rien. Il voulait savoir comment elle avait mis sur pied les Frivolines de Lacey. La jeune femme se surprit en train de lui raconter les joies et les peines que lui causait son entreprise.

— Excusez-moi, dit-elle soudain, j'aurais dû vous prévenir que je deviens ennuyeuse, quand il s'agit de ma boutique.

— Je n'étais pas ennuyé. Vous pouvez être fière de votre œuvre, pour laquelle vous avez travaillé dur.

— C'est vrai. Selon ma mère, c'était au détriment de ma vie privée.

— Qu'en pensez-vous?

Lacey ne lut dans ses yeux aucun jugement, rien qu'un réel intérêt. Elle haussa les épaules avec une feinte insouciance.

— Je ne sais pas... Sans doute a-t-elle en partie raison. On a tendance à négliger la vie personnelle, quand on se lance dans le monde des affaires.

Cam lui adressa un sourire tranquille.

— D'autant que cela permet d'éviter les peines de

cœur… N'y voyez aucune critique, Lacey, j'en ai fait autant. Le travail est un bon expédient, vous ne trouvez pas ?

Lacey hocha la tête.

— Je le crois aussi.

Ils se turent pendant quelques minutes. Dehors, la bruine continuait d'envelopper la maison. Allongé dans son petit panier, Derwent s'étira en gémissant.

Cam émit un petit rire et leva son verre.

— A deux lâches, surpris par le destin dans une petite chapelle !

Lacey hésita avant de l'imiter. Elle ne s'était pas attendue à porter un toast à son mariage avec un verre de lait, mais l'absence de champagne ne la gênait pas. Comme elle rencontrait les yeux de Cam, elle respira soudain une bouffée d'optimisme. La situation n'était peut-être pas aussi catastrophique qu'elle le paraissait de prime abord. Qui sait ? Cette union pouvait s'avérer durable.

Cam s'arrêta un instant sur le seuil de la cuisine afin de savourer le spectacle qui s'offrait à lui. Lacey lui tournait le dos, penchée sur l'évier. Elle avait relevé ses cheveux en une queue de cheval blonde qui frôlait ses épaules chaque fois qu'elle bougeait. Elle portait un jean délavé qui moulait ses hanches rondes d'une façon innocemment provocante. Un pull gris à rayures rouges complétait sa tenue. Ainsi vêtue, elle avait l'air décontractée et délicieusement séduisante.

— Bonjour.

Elle se retourna, les joues rosies par l'émotion qui ne manquait pas de l'envahir à la vue de son « mari ». Il sourit à la vue de la farine qui ornait son nez.

— Bonjour. Quand j'ai entendu la douche, j'ai pensé

que vous aimeriez trouver votre petit déjeuner prêt. J'espère que vous ne m'en voudrez pas d'avoir fait comme chez moi.

— Vous êtes chez vous, Lacey. En outre, je serais stupide de me plaindre. D'ordinaire, je me contente d'une tasse de café et d'un toast. Si je ne m'abuse, vous vous adonnez à la pâtisserie?

Comme il la rejoignait, Lacey lutta contre l'envie de s'enfuir. Il était si grand et si... viril. A cette heure de la matinée, c'était plus qu'elle n'en pouvait supporter.

— Ce sont des biscuits, parvint-elle à prononcer.

— Je n'en ai pas dégusté depuis des siècles. Où avez-vous eu la recette?

Lacey se détourna afin d'étaler la pâte au moyen d'une bouteille, en guise de rouleau à pâtisserie.

— Je n'en ai pas besoin. Maman m'a appris à les faire avant même que je sache lire. Une dame du Sud doit savoir cuisiner.

Inconsciemment, elle avait imité les intonations légèrement traînantes de sa mère. Cam l'examinait, se demandant pourquoi il ne s'était jamais aperçu combien cette activité était érotique.

— Vous semblez pourtant une Californienne pure.

Lacey sourit tristement.

— Je le suis, mais maman a tout fait pour m'insuffler l'esprit du Sud. Je sais jouer du piano, coudre, cuisiner et tenir ma tasse de thé avec distinction. Je peux aussi vous confectionner un sandwich au concombre.

— Vraiment? Je n'en ai jamais mangé.

— Soyez heureux, cette chance vous sera offerte dès cet après-midi, car maman en aura certainement préparé. A moins que vous n'ayez pas envie de la rencontrer... Je l'aime tendrement, mais j'avoue qu'elle est parfois insupportable.

Il tendit la main pour lui essuyer le bout du nez.

— Je crois pouvoir affronter une causerie mondaine.

La jeune femme ne se sentit pas rassurée. Depuis l'adolescence, elle souffrait le martyre chaque fois qu'elle présentait un cavalier à sa mère. Celle-ci s'arrangeait pour lui arracher sans qu'il s'en aperçût tous les renseignements qu'elle jugeait utiles sur sa famille, ses études et ses projets d'avenir. Le fait qu'elle s'y prenait avec un tact infini ne soulageait en rien sa fille...

Pendant tout le trajet jusqu'à San Marino, Lacey ne prononça pas un mot. Elle ne doutait pas que Cam et sa mère se plairaient mutuellement. Maman adorerait Cam parce qu'il était beau et qu'il sauvait sa fille du célibat. Quant à Cam, il céderait comme tous les autres au charme de sa belle-mère.

Mais justement, elle supportait mal qu'il succombât à cette séduction, qu'il se livrât à elle sans même le savoir.

— Détendez-vous. Vous verrez que tout se passera bien. Je suis sûr de m'entendre avec votre mère.

Il avait posé sa main sur celle de la jeune femme, qui soupira.

— Je n'en doute pas.

Cam lui lança un regard surpris. Il commençait à se demander quel genre de dragon pouvait bien être Mme Newton.

— C'est là.

Lacey désignait une allée dallée, sur la gauche. Ecartant toute interrogation, Cam y engagea la voiture. Pour le meilleur et pour le pire, ils étaient arrivés... Il espérait seulement que cette entrevue ne serait pas aussi catastrophique que Lacey semblait le craindre.

7.

Après la pluie de la veille, la terre dégageait une bonne odeur d'humidité. Deux jardins plus loin, un homme âgé tondait sa pelouse au moyen d'une vieille tondeuse dont le vrombissement emplissait l'atmosphère. Les demeures étaient spacieuses, d'un luxe raffiné et discret.

Tout en remontant l'allée, Cam étudiait la maison avec intérêt. C'était là que Lacey avait grandi... Des massifs de fleurs entouraient la porte, se détachant sur les murs crème. Des volets bleus de style colonial ornaient les fenêtres. L'impression générale qui s'en dégageait était une gaieté retenue, comme si on avait voulu signifier que le meilleur se cachait à l'intérieur.

Il regarda Lacey appuyer sur la sonnette, conscient de la tension de la jeune femme. Haussant les sourcils, il songea qu'il ne lui serait jamais venu à l'esprit de s'annoncer lorsqu'il rendait visite à ses propres parents.

Au bout de quelques secondes à peine, on ouvrit. Il s'était plus ou moins attendu à rencontrer une matrone imposante, brandissant la bible du savoir-vivre. Une petite femme souriante se tenait sur le seuil.

— Lacey chérie, que je suis contente de te voir!

Mme Newton embrassa sa fille avant de poser ses yeux bleus et brillants sur son gendre.

— Vous devez être Cameron... Je ne saurais vous dire à quel point je suis heureuse de vous rencontrer.

Comme elle ouvrait les bras, Cam s'avança pour serrer sa belle-mère entre les siens.

— Entrez, mes enfants, je vous ai préparé un petit goûter. Rien d'extraordinaire, rassurez-vous.

Amusé, Cam suivit les deux femmes à l'intérieur. Il se demandait si leur hôtesse se rendait compte qu'elle ne lui avait pas permis de placer un mot.

— Cameron, prenez place sur le canapé. Et toi, ma chérie, assieds-toi auprès de ton mari, pour que je puisse vous voir ensemble.

Une lueur amusée au fond des yeux, Cam obéit. Il commençait à comprendre Lacey. De la façon la plus adorable qui soit, Mme Newton lui rappelait un général disposant ses troupes.

— Et maintenant, dites-moi comment vous vous êtes rencontrés. J'ai déjà dit à Lacey ce que je pense de ses cachotteries. Tu sais que rien ne m'aurait rendue plus heureuse que de te savoir mariée, ma chérie. Et à ce que je vois, il n'y avait aucune raison de cacher ton fiancé.

— Je crains que ce ne soit ma faute, madame Newton, dit Cam. Je me sentais légèrement embarrassé à l'idée de rencontrer la famille de Lacey. Je le regrette aujourd'hui, car vous êtes telle que Lacey vous avait décrite.

Lacey fit un mouvement brusque, mais sa mère parut ravie de ce qu'elle entendait. Son visage délicat rosit de plaisir.

— Quoi qu'il en soit, je suis heureuse de vous connaître enfin. Lacey a toujours été très discrète, et je ne devrais sans doute pas m'étonner qu'elle vous ait gardé pour elle seule. Je suis quand même un peu surprise qu'elle se soit mariée sans m'en avoir parlé auparavant.

La jeune femme se raidit.

— Maman...

— J'en mérite tout le blâme, intervint une seconde fois Cam. J'ai profité que nous étions à Las Vegas pour contraindre votre fille à me suivre devant l'autel.

Il passa un bras autour des épaules de Lacey pour l'attirer contre lui.

— Vous pouvez m'appeler Mère, Cameron. J'espère que la cérémonie n'était pas trop austère. Je m'étais toujours figuré que Lacey descendrait l'allée centrale d'une église, vêtue d'une longue robe blanche.

Tout en parlant, Mme Newton posa sur sa fille des yeux brillants de larmes contenues. Cam lui sourit gentiment.

— J'avoue que ce n'était pas aussi romantique, pourtant nous en chérirons toujours la mémoire. Tu ne crois pas, Lacey?

Le tutoiement fit tressaillir la jeune femme, qui hocha la tête en rougissant. Ni elle ni Cam ne conservaient un souvenir très clair des événements de cette fameuse nuit, pourtant son « mari » se tirait admirablement bien de cette situation délicate. Elle réprima cependant un soupir de soulagement quand la conversation ne porta plus sur ce sujet brûlant.

A mesure que l'après-midi passait, Lacey se détendit. Aussi incroyable que cela pût paraître, sa mère avait trouvé son maître. Bien qu'elle menât son interrogatoire avec son tact coutumier, Cam ne lui livrait que ce qu'il voulait bien lui dire.

Tout en passant un plat de sandwichs minuscules, Mme Newton aborda la question capitale :

— Quand comptez-vous avoir votre premier enfant?

Lacey éclata d'un rire contraint.

— Voyons, maman, nous venons à peine de nous marier! Laisse-nous le temps de...

— On n'en a jamais autant qu'on le croit, ma chérie. Ton père et moi voulions fonder une famille nombreuse, mais il est mort après ta naissance. J'ai toujours regretté de ne pas t'avoir donné un frère ou une sœur, ce qui t'aurait épargné cette enfance solitaire. Crois-moi, Lacey, ne remets pas cette décision à plus tard.

La sincérité de Mme Newton était indéniable. Les yeux remplis de larmes, elle s'exprimait d'une voix tremblante. Comme chaque fois qu'elle affrontait sa mère, Lacey se sentait déchirée entre la culpabilité et la rancune. Elle se sentait prête à toutes les folies pour rassurer sa mère, mais en même temps, elle lui en voulait de se mêler de ce qui ne la regardait pas.

— Maman...

La main de Cam lui pressa doucement l'épaule.

— Lacey et moi désirons profiter avant tout l'un de l'autre, mère. N'est-ce pas, ma chérie?

La « chérie » opina de la tête. Le regard tendre que Cam posait sur elle lui ôtait toute repartie. Mais bien sûr, il jouait la comédie pour Mme Newton...

— Je comprends votre point de vue, disait cette dernière. Mais je vous en prie, Cameron, ne tardez pas trop. J'ai hâte de tenir mon petit-fils dans mes bras.

— Vous ferez une merveilleuse grand-mère, bien que vous paraissiez si jeune.

Mme Newton, cette fois, rougit de plaisir. Le compliment aurait pu paraître outré, mais le ton de Cam était parfaitement sincère. Lacey s'absorba dans la contemplation de sa tasse. Comment s'y prenait-il? En vingt-cinq ans, elle n'avait jamais réussi à détourner sa mère du but qu'elle s'était fixé. En l'espace d'un après-midi, il était parvenu à prendre les rênes de la conversation. Mieux encore, sa mère l'adorait davantage de minute en minute.

Elle se sentait partagée entre le contentement et un

léger dépit. Pourquoi n'était-elle pas plus satisfaite de ce succès spectaculaire ?

A son côté, Cam sentit sa tension et en chercha la raison. Si l'on ne voulait pas être manipulé par Mme Newton, on était contraint d'utiliser contre elle ses propres armes. Cependant, l'amour qu'elle portait à sa fille était indéniable.

Il but une gorgée de café, écoutant d'une oreille distraite la mère et la fille parler chiffons. L'intérieur de Mme Newton le fascinait. Après avoir vu l'appartement de Lacey, il n'aurait jamais supposé qu'elle avait grandi dans un tel décor.

La maison de Mme Newton était arrangée avec un goût sans faille, même s'il pouvait sembler anachronique. L'ameublement élégant en acajou convenait parfaitement à la salle de séjour. D'exquis napperons crochetés se détachaient sur le bois sombre. Un piano occupait un coin de la pièce, ressortant sur les rideaux ivoire qui masquaient les hautes fenêtres. L'attention de Cam fut attirée par les photos disposées avec soin sur sa surface brillante.

Abandonnant sa tasse, il laissa Lacey et sa mère discuter et se dirigea vers le piano. Le soleil faisait étinceler les cadres d'argent. Il ne fut pas surpris de constater que la plupart des photographies représentaient Lacey, mais ce n'était pas celle qu'il connaissait.

Il en prit une pour l'étudier plus attentivement. La petite fille qui le regardait devait avoir environ douze ans, mais elle ne ressemblait à aucune fillette de cet âge. Assise sur une chaise à dossier droit, les mains jointes sur les genoux, elle fixait l'objectif avec un sérieux émouvant. Ses cheveux, d'un blond légèrement plus pâle qu'aujourd'hui, étaient tirés en arrière et coiffés en « anglaises », sa robe rose ne faisait pas un faux pli et elle portait des gants blancs.

Cam reposa le portrait, les yeux songeurs. Il commençait à comprendre pourquoi Lacey prétendait avoir été élevée en jeune fille du Sud... Supporterait-elle de passer sa vie auprès d'un primitif comme lui ?

La voix de son hôtesse l'arracha à sa rêverie.

— C'est l'une de mes photos préférées. Elle avait presque treize ans, à cette époque.

Cherchant Lacey du regard, il constata qu'elle avait disparu.

— C'était une très jolie petite fille.

— En effet, dit Mme Newton avec tendresse.

— Elever une enfant seule... Cela n'a pas dû être facile.

Mme Newton soupira, le regard embué.

— Quand son père est mort, je me suis sentie terrorisée. Je ne m'étais jamais assumée, vous savez. J'avais vécu avec mes parents jusqu'à mon mariage, et ensuite Doug avait pris soin de moi. J'avais à peine plus de bon sens que ma petite fille. Il a fallu que je grandisse très vite. Fort heureusement, Doug m'avait amplement laissé de quoi vivre car je n'aurais sans doute pas été capable de travailler. Lacey est devenue le but de mon existence et j'ai fait de mon mieux pour l'élever.

Elle leva vers lui des yeux emplis d'orgueil avant de poursuivre :

— Je ne pourrais être plus fière d'elle. A vingt-cinq ans, elle a réussi à créer sa propre marque ! Je craignais qu'elle n'ait négligé sa vie privée, mais puisque vous voici... Je vous souhaite d'être très heureux, tous les deux.

— Je l'espère aussi.

Lacey entra dans la pièce. A leur vue, elle se raidit d'anxiété. Cam lui adressa un petit signe de la main dans le dos de sa mère, ce qui parut la rassurer.

Il commençait à mieux comprendre la femme qu'il

venait d'épouser. Elle avait grandi écartelée entre deux mondes, le moderne, incarné par la Californie, et l'ancien, que sa mère préservait. Cela expliquait certaines des contradictions qu'il avait perçues en la jeune femme...

D'un côté, il y avait la dynamique aventurière, propriétaire de sa propre boutique à vingt-cinq ans. Derrière elle, se dissimulait une jeune personne timide et réservée, négligeant sa vie privée et... les hommes.

Mme Newton décrivait avec animation la réception qu'elle comptait organiser en leur honneur. Cam s'assit auprès de Lacey sur le canapé et lui prit la main. Elle tourna la tête vers lui, surprise par l'intimité du geste, mais il ne desserra pas les doigts. Comme il lui souriait, elle se détendit.

Il commençait à penser que, tout ivre qu'il était, cette nuit-là, il avait montré plus de discernement que s'il avait été sobre.

Cam se faufilait habilement parmi le flot de véhicules qui se dirigeaient vers l'ouest.

— Votre mère me plaît beaucoup, constata-t-il.

— Vous avez su la prendre...

Malgré elle, la rancune inexplicable qu'elle ressentait avait fait vibrer la voix de Lacey. Cam lui lança un rapide coup d'œil de côté.

— Vous le regrettez?

La jeune femme abaissa le pare-soleil en soupirant.

— Bien sûr que non... Je suis vraiment contente que vous vous soyez aussi bien entendus... Je vous assure.

— Qu'est-ce qui vous chagrine, en ce cas?

Il paraissait amusé. Lacey exhala un second soupir, convaincue qu'il allait la prendre pour une sotte.

— Eh bien, vous allez rire, mais en vingt-cinq ans, je

ne suis jamais parvenue à manipuler ma mère avec le brio dont vous avez fait preuve. Je me sens un peu... sur la touche.

Le regard de Cam reflétait une réelle compréhension.

— Vous oubliez que votre mère et vous avez une histoire commune. Votre relation affective rend les choses plus difficiles pour vous. D'ailleurs, votre mère était décidée à m'apprécier parce qu'elle désire votre bonheur. Elle vous aime.

— Je le sais, et c'est réciproque.

Le ton lugubre de la jeune femme fit sourire Cam.

— Maintenant qu'elle vous sait mariée, votre mère cessera de vous harceler. Cela devrait vous réjouir, non ?

— Je crains qu'elle ne s'attaque maintenant à la question de notre descendance. Enfin... Ce sera toujours un changement de sujet.

La voix de Cam se fit songeuse.

— Vous voulez des enfants, Lacey?

La question saisit Lacey à la gorge. Pendant quelques secondes, elle fixa la voiture devant eux en silence. Enfin, les mots jaillirent, venus du fond du cœur :

— Oui ! Je veux des enfants.

— Moi aussi.

La porte de la boutique s'ouvrit dans un bruit de grelots. Lacey leva la tête.

— Lisa ! Où te cachais-tu ? Je ne t'ai pas vue depuis...

— Depuis Las Vegas.

Les deux amies s'embrassèrent, puis Lisa recula d'un pas pour mieux examiner Lacey.

— J'ai dû me rendre à New York, pour mon travail. Au retour, Franck m'a appris la nouvelle. Je n'arrive pas à y croire !

— Tu veux dire que tu ne gardes aucun souvenir de cette nuit ?

Lisa secoua la tête de droite à gauche, faisant danser ses cheveux bruns coupés au carré.

— Aucun. Je te revois en train de danser avec Cam, ensuite quelqu'un a suggéré d'aller ailleurs. A partir de là, c'est le noir complet. Le lendemain, nous sommes rentrés en avion... Quel voyage, misère! Puis je suis immédiatement repartie pour New York. Quand je pense que Franck ne m'a pas appelée pour me mettre au courant, j'ai envie de l'étrangler!

— Il n'a sans doute pas voulu te distraire.

— Tu plaisantes! Franck ne rate jamais une occasion de troubler mon labeur. Il déteste mon métier... D'ailleurs, il me supplie de l'abandonner depuis des mois.

Lacey fit signe à Margaret, son employée, qu'elle lui laissait la garde de la boutique. Les deux amies entrèrent dans le minuscule bureau qu'elle s'était aménagé. Lisa s'effondra sur une chaise.

Assise en face d'elle, Lacey poursuivit.

— Il faut le comprendre! La plupart du temps, tu es totalement absorbée par ton travail.

— Quand j'aurai remporté mon dernier contrat, je pourrai souffler un peu.

Depuis sa sortie de l'université, Lisa annonçait qu'elle n'allait pas tarder à « souffler ». Lacey doutait qu'elle s'accordât jamais le moindre répit.

— Franck t'aime, il voudrait sans doute t'avoir à lui seul.

Lisa alluma sa cigarette d'une main nerveuse.

— Je t'en prie, Lacey, pas toi! Franck et moi avons tellement discuté, ces derniers temps, que j'ai les nerfs à vif. Mais je ne veux pas me décharger sur toi de mes problèmes. Raconte-moi plutôt ce qui se passe entre Cam et toi.

Lacey haussa les épaules.

— Nous nous sommes mariés à Las Vegas.

— Je le sais, mais j'ignore la suite. Franck m'a dit que tu t'étais installée chez Cam ?

— C'est vrai.

Les yeux de Lisa reflétaient l'incrédulité.

— Tu veux dire que vous poursuivez l'expérience ?

— Pourquoi pas ?

— Eh bien... Je ne t'aurais jamais crue capable de te lancer dans une aventure pareille ! Jusqu'ici, tu as toujours privilégié la sécurité, et...

— J'en ai peut-être assez.

— Tant mieux ! Alors... raconte !

— Pour l'instant, je n'ai rien d'extraordinaire à signaler. Je ne vis chez lui que depuis une semaine, et nous en sommes tout juste à nous adapter l'un à l'autre.

— Cette période ne se termine jamais vraiment... C'est égal, je ne t'imaginais pas aussi audacieuse.

Lacey émit un petit rire gêné.

— Ce n'est pas tout à fait ainsi que j'envisageais mon mariage.

— Tu es amoureuse de lui, ou bien il s'agit seulement d'attirance sexuelle ?

— Je... Je n'ai pas eu le temps de tomber amoureuse.

— D'accord. Mais je suppose que pour le reste, tu n'as pas lieu de te plaindre ?

— Cam est très séduisant.

— C'est tout ! Franchement, Lacey, un type aussi superbe mérite d'autres qualificatifs !

— Sans doute... Mais cela ne suffit pas pour réussir un mariage.

Se rembrunissant brusquement, Lisa jeta un coup d'œil à sa montre.

— C'est plus vrai que tu ne le penses. Bon sang ! J'ai un rendez-vous dans une heure et je dois passer chez moi pour me changer !

Les deux jeunes femmes se levèrent et s'embrassèrent. Ensuite, Lisa recula d'un pas pour regarder son amie droit dans les yeux.

— Je te souhaite de tout cœur d'être heureuse, tu le sais, n'est-ce pas?

— Oui.

Lacey sourit à Lisa. En vingt ans d'amitié, son amie l'avait parfois exaspérée, mais elles avaient partagé de bons moments. Songeuse, elle la regarda quitter le bureau avant de retourner s'asseoir dans son fauteuil. La tristesse de Lisa l'obligeait à réfléchir sur sa propre vie et elle découvrait avec surprise qu'elle était heureuse...

Bien sûr, Cam et elle apprenaient encore à se connaître, ce qui n'allait pas sans quelques incidents, parfois. Ainsi, le soir où elle avait préparé un poulet au curry... Dès la première bouchée, il avait pâli. Elle avait su ensuite qu'il avait eu une propriétaire qui en parsemait tous ses plats. Il en avait conservé un dégoût irréductible pour cette épice. Pourtant, il s'était montré plein de tact envers elle, se contentant d'ouvrir largement les fenêtres pour aérer la maison.

Il y avait aussi leurs goûts musicaux... Elle aimait les auteurs classiques, tandis qu'il privilégiait les rythmes modernes. Ils étaient parvenus à s'accorder sur le rock and roll des années cinquante.

La jeune femme sourit rêveusement. Un homme aussi « superbe » méritait bien quelques compromis.

8.

— Vous êtes sûr que je suis assez élégante?

Cam quitta un instant la route des yeux pour observer sa compagne. Elle portait une robe de coton vert qui soulignait sa poitrine haute avant de s'évaser en plis souples autour de ses jambes fines.

Les doigts soudain crispés sur le volant, il se détourna. Ignorait-elle vraiment à quel point elle était ravissante? C'était tout juste s'il pouvait résister à l'envie de se garer sur le bas-côté pour l'embrasser.

Ce silence confirma Lacey dans ses craintes.

— Cam? C'est ce que je redoutais, n'est-ce pas? Votre sœur va penser que je considère cette visite à la légère!

— Vous êtes très bien.

C'était un euphémisme, songea-t-il. Jusqu'alors, il n'avait pas réalisé combien il lui serait difficile de respecter la parole donnée. Les vagues images qu'il conservait de leur nuit de noces ne lui rendaient pas la tâche plus aisée. Le brouillard qui les entourait les rendait encore plus excitantes. S'agissait-il d'un fantasme, ou bien avait-il vécu l'une des expériences les plus merveilleuses de sa vie?

Cette idée le rendait fou. Le seul moyen de découvrir la vérité était de renouveler l'expérience hors des vapeurs de l'alcool. Mais bien sûr, il fallait attendre que Lacey fût prête. Et elle ne l'était pas... Il lui suffisait de la regarder pour s'en convaincre.

Lacey lissa nerveusement son col.

— La première impression est toujours importante. Mais... qu'est-ce que vous faites?

Après avoir émis un bref juron, Cam se rabattait sur la droite. Ignorant sa question, il s'arrêta sur la voie réservée aux voitures de pompiers ou aux cars de police.

— Que se passe-t-il?

— Vous vouliez savoir ce que je pense de votre robe?

Cam défit sa propre ceinture de sécurité avant de s'attaquer à celle de la jeune femme. Lorsqu'il tendit les mains vers elle, Lacey se blottit contre la portière, effrayée.

— Vous ne pouvez pas faire cela!

— J'en ai pourtant bel et bien l'intention.

Une curieuse lueur au fond des yeux, il l'attira contre lui.

— Cam, il y a des lois.

— Contre les hommes qui embrassent leurs femmes?

Sentant le souffle de son mari lui effleurer la joue, elle balbutia :

— Contre ceux qui utilisent la bande d'urgence pour autre chose qu'une urgence.

— C'en est une.

Quand bien même en aurait-elle eu envie, Lacey n'aurait pu contester cette affirmation. La bouche de Cam se posa sur la sienne sans qu'elle protestât davantage. Elle noua les bras autour du cou de son compagnon, uniquement attentive à l'embrasement qui semblait partir de ses lèvres pour envahir son corps tout entier.

Ce n'était pas la première fois qu'elle ressentait cette impression à son contact, mais cette fois-ci l'excitation devenait plus pressante. Elle voulait davantage... Elle voulait que Cam fût plus exigeant. Chaque soir, lorsqu'elle le quittait, il lui était plus pénible de regagner sa couche solitaire.

Elle entrouvrit les lèvres. La main de Cam caressa sa taille, avant de remonter le long de son torse pour se poser sur l'un de ses seins. Elle oublia alors où ils étaient et où ils allaient. Seule comptait la bouche de cet homme sur la sienne...

Un coup de klaxon les arracha à l'enchantement. Cam s'écarta lentement de la jeune femme. Il la regarda longuement, puis il se tourna vers le volant.

— Remettez votre ceinture.

Comme dans un rêve, Lacey obéit. Les lèvres étirées par une petite grimace, Cam fit gronder le moteur et manœuvra habilement pour se fondre dans le trafic.

— Vous ne vous faites plus de souci pour votre robe ?

Les joues roses, elle secoua la tête. Non, désormais, elle ne se souciait guère de son apparence...

La maison de Claire était située à Simi Valley et entourée de collines verdoyantes. Dès que la voiture se fut arrêtée dans l'allée, la porte d'entrée s'ouvrit brusquement et une horde d'enfants en jaillit. Il fallut quelques minutes à Lacey pour réaliser qu'ils n'étaient pas une centaine, mais seulement quatre ou cinq. Sans paraître incommodé par leurs cris assourdissants, Cam prit les deux plus petits dans ses bras.

La porte s'ouvrit une seconde fois. La femme qui parut sur le seuil était ravissante, avec sa peau café au lait et ses grands yeux sombres à l'expression songeuse. Elle sourit à Lacey tandis que Cam lâchait les enfants pour procéder aux présentations.

— Lacey, voici ma sœur Claire. Claire, je te présente Lacey, qui a eu la gentillesse de m'épouser.

Lacey battit des paupières, mais l'éducation maternelle n'avait pas été vaine : souriant avec naturel, elle tendit la main à la jeune Noire, qui alla droit au but.

— Je parie que Cam a omis de vous prévenir que nous étions tous adoptés.

— Je... Non, il ne m'en a pas parlé.

Le visage de Claire s'adoucit. Elle se tourna vers son frère qui s'était agenouillé pour examiner le genou écorché de l'une de ses nièces.

— Je crois qu'il oublie ce détail, la plupart du temps. Nous sommes si proches les uns des autres que nous ne réalisons pas que les autres peuvent être choqués.

— Je ne le suis pas. C'est juste que... Eh bien, vous ne vous ressemblez pas beaucoup.

Claire se mit à rire.

— En effet.

Tranquillement, la jeune femme entreprit de libérer son frère des petites mains qui l'emprisonnaient. Dès que les enfants se furent détachés de lui, il vint prendre Lacey par le bras afin de l'entraîner à l'intérieur de la maison.

Celle-ci était plus grande qu'il n'y paraissait du dehors. Les pièces étaient vastes et aérées, témoignant de l'élégance simple qui caractérisait Claire. Deux hommes étaient installés auprès de la cheminée. Le plus grand des deux, visiblement le mari de Claire, se leva à leur vue et traversa rapidement la pièce pour venir les saluer. Joe paraissait aussi fougueux et impatient que son épouse était calme et paisible.

Il secoua la main de Lacey avec une cordialité souriante.

— Voici donc la jeune femme qui a réussi à prendre Cam dans ses filets. Sa mère sera ravie de le savoir dans d'aussi jolies mains. Elle le supplie de se ranger depuis au moins dix ans.

— Douze, rectifia Cam. Bonjour quand même, mon vieux Joe.

Joe se mit à rire et lâcha la main de Lacey pour serrer celle de son beau-frère avec enthousiasme. L'attention de la jeune femme se porta alors sur l'autre homme, qui s'était levé à son tour. Leurs yeux se croisèrent.

— Bonjour, Lacey.

— Bonjour, Jimbo.

Elle avait gardé une voix neutre. Il était inutile de rassurer trop vite ce traître ! Bien que Cam lui eût raconté son entrevue avec Jimbo, c'était la première fois qu'elle le revoyait depuis Las Vegas et il ne lui déplaisait pas de le faire languir. Elle ne regrettait plus de s'être mariée avec Cam, mais elle n'aurait pas souvent l'occasion de voir Jimbo rabattre un peu son caquet.

— Tu as l'air en pleine forme, dit-il timidement.

Lacey réprima un fou rire. Il n'allait pas tarder à se jeter à ses genoux ! Elle aurait voulu profiter de la situation plus longtemps, mais sa mère lui avait enseigné la générosité.

Voyant les yeux de la jeune femme pétiller d'humour, Jimbo lâcha un soupir de soulagement.

— Je savais bien que tu n'étais pas rancunière.

— Je devrais l'être.

Ils tombèrent dans les bras l'un de l'autre en riant, puis ils rejoignirent leurs amis.

La soirée se déroula dans la bonne humeur. Claire préférait laisser ses hôtes se distraire comme ils l'entendaient, plutôt que de leur imposer des contraintes. Les enfants étaient partout. Finalement, Lacey était parvenue à les compter. Ils étaient quatre, deux garçons et deux filles échelonnés entre trois et dix ans, mais ils paraissaient former une véritable armée. Si par hasard aucun d'entre eux n'était en vue, il suffisait de se tourner vers Cam pour en apercevoir un ou deux pendus à ses basques. Ils semblaient considérer que leur oncle Cam constituait la meilleure distraction que la vie pouvait offrir.

Il possédait le don de se faire comprendre d'eux sans utiliser un langage puéril. Attendrie, Lacey le vit relever la dernière de ses nièces, renversée par l'un de ses frères. Avec une douceur étonnante, il brossait la robe salie tout en versant du baume sur la dignité froissée de l'enfant. Le pouce dans sa bouche, la petite se blottit contre sa large poitrine.

Comme s'il sentait le regard de Lacey posé sur lui, Cam leva les yeux vers elle. Soudain, le reste du monde parut s'effacer. Il sembla à la jeune femme qu'ils étaient seuls, l'un en face de l'autre. Il faisait un pas dans sa direction, quand Joe sollicita son avis à propos d'une armoire qu'il désirait acheter. Il lui lança un dernier coup d'œil, le visage empreint d'une expression qu'elle n'aurait su qualifier, puis il se détourna pour répondre à son beau-frère. L'instant magique était passé...

— Il fera un bon père, tu ne trouves pas?

Arrachée à ses pensées, Lacey se demanda si Jimbo possédait un don de voyance. S'efforçant de rester impassible, elle tendit la main vers son verre de vin.

— J'en suis certaine, en effet.

Claire se trouvait dans la cuisine. Jimbo profita de ce que Joe et Cam étaient absorbés par leur discussion pour insister.

— Tu sais, je connais Cam depuis plus longtemps que toi.

— N'importe qui dans cette pièce pourrait en dire autant. Je sais que vous êtes amis depuis longtemps.

Jimbo parut hésiter, ce qui ne lui ressemblait pas.

— Est-ce que Cam t'a parlé de son passé?

— Non. J'ignorais même qu'il était adopté jusqu'à aujourd'hui.

— Il n'y fait jamais allusion, mais sans ses parents adoptifs, il serait sans doute derrière les barreaux.

— Cam? C'est impossible, voyons!

Mais le visage carré de Jimbo reflétait un sérieux inhabituel.

— C'est difficile à croire, je le sais, et Cam me tuerait probablement s'il savait que je te l'ai dit, mais je pense que cela t'aidera à mieux le comprendre... A treize ans, Cam n'était pas un gosse facile. Il traînait dans les rues depuis près de deux ans et il comptait sur la délinquance pour s'en sortir. Quand la police l'a pris en flagrant délit, on m'a chargé de discuter avec lui. Je n'avais qu'une dizaine d'années de plus que lui et il ne lui fallut qu'un coup d'œil pour m'annoncer que j'étais trop jeune pour lui apprendre à vivre.

Le regard rêveur, Jimbo sourit.

— Ses yeux me défiaient de l'aider, pourtant il y avait quelque chose en lui qui me disait qu'il n'était pas trop tard. Je connaissais Mary et David Martin, qui avaient déjà recueilli trois ou quatre gosses en détresse. Malheureusement, Cam était rétif. Son père était mort. Quant à sa mère, elle l'avait abandonné un beau matin pour ne plus jamais revenir. Il était convaincu que les adultes étaient ses ennemis personnels. Il avait le plus sale caractère qu'il m'avait jamais été donné de rencontrer. Quand il se mettait en colère, il pouvait être vraiment effrayant. Pourtant, Mary et David ont réussi à faire de lui un être civilisé.

— Je ne l'aurais jamais deviné, murmura Lacey.

— Je sais que le calme dont il fait preuve peut étonner, parfois, c'est pourquoi j'ai voulu t'en expliquer l'origine.

— Je t'en remercie.

Elle jeta un coup d'œil du côté de Cam, essayant de retrouver en l'homme le jeune garçon coléreux. A cet instant, il la regarda et lui sourit. Elle lui sourit en retour, mais fut soulagée que Claire choisît cet instant pour annoncer que le dîner était prêt. Jimbo lui avait fourni matière à réflexion...

Elle y pensait encore quelques heures plus tard, tandis qu'ils roulaient vers la maison. Dans la semi-obscurité qui baignait la voiture, Cam lui paraissait le même qu'auparavant. Pourtant, elle ne pouvait s'empêcher de voir en lui le jeune révolté qui ne comptait que sur lui-même pour survivre.

— Ai-je une tache sur le nez? demanda-t-il soudain. Vous m'examinez depuis au moins vingt bonnes minutes.

— Excusez-moi... Je réfléchissais.

— A propos de quoi?

— Je pensais que nous ne nous connaissons pas depuis bien longtemps.

— Exact. Cela vous tourmente?

— Je n'en sais rien. Je suppose que notre cohabitation nous permettra de progresser dans la compréhension l'un de l'autre. Vous avez l'impression que nous avançons?

— Vous devez avoir fait des études de psychologie. C'est sans doute là que vous avez appris à répondre à une question par une autre question.

— Excusez-moi... Non, cela ne me tourmente pas, parce que je crois sincèrement que nous progressons, du moins, j'ai l'impression de mieux vous connaître.

— Vous vous livrez peu vous-même.

Du coin de l'œil, elle vit les mains de Cam se crisper sur le volant, puis se relâcher. Apparemment, la maîtrise dont il faisait preuve ne lui était pas aussi naturelle qu'elle l'avait cru.

— Je parie que Jimbo vous a narré mon enfance malheureuse, reprit-il.

Elle haussa les épaules, ennuyée qu'il abordât la question.

— Il m'en a un peu parlé.

Cam émit un rire dénué d'humour.

— J'aurais dû prévoir qu'il ne résisterait pas à la tentation.

— Il a dit que cela m'aiderait à vous comprendre.

— Et c'est le cas?

— Je pense que oui.

La tension qui régnait à l'intérieur de la voiture devint presque palpable, bien qu'elle n'en comprît pas la raison.

— Ce n'est pas aussi simple. Un manuel de psychologie

vous apprendrait aussi qu'on peut connaître quelqu'un à travers son passé. Mais dans la vie réelle, ce qui compte, c'est ce qu'un individu est devenu. Le passé importe peu, il ne sert qu'à embrouiller les choses. Maintenant que Jimbo vous a peint ma jeunesse sous des couleurs pathétiques, vous allez me regarder différemment.

— Bien sûr, puisque j'ai appris quelque chose sur vous.

— Non. Vous avez appris quelque chose sur ce que j'étais. Je ne suis plus ce jeune garçon au sang chaud, je ne l'ai pas été très longtemps.

— Je n'ai pas dit que vous l'étiez! protesta Lacey.

La conversation ne prenait pas le tour qu'elle souhaitait. Au lieu de lui exprimer sa sympathie, elle n'avait réussi qu'à le blesser.

— Pardonnez-moi, dit-elle doucement, je voulais que vous sachiez combien je suis désolée que vous ayez dû traverser ces épreuves.

Il posa sa main sur celle de la jeune femme.

— Je le sais, mais je veux que vous les oubliiez pour me considérer tel que je suis maintenant.

— Entendu. Pourtant, je ne peux m'empêcher de vous admirer pour la façon dont vous vous en êtes sorti.

— On m'a aidé. Jimbo, entre autres, bien qu'il m'inspire des envies de meurtre. Il a le don de se mêler de ce qui ne le regarde pas.

Cam ne paraissait plus fâché. Sa voix avait perdu toute dureté, pourtant Lacey avait eu un aperçu de ce qui se cachait sous son calme permanent. Quoi qu'il en pensât, il lui paraissait dorénavant plus vulnérable, plus... humain.

Prenant la main de la jeune femme, Cam la posa sur sa propre cuisse. Elle aurait pu la retirer, pourtant elle n'en fit rien.

— Vous plaisez à Claire, reprit-il.

— C'est réciproque.

— Abby m'a dit qu'elle vous trouvait très jolie.

Il fallut une minute à Lacey pour réaliser qu'Abby était la plus jeune fille de Claire, celle qui s'était blottie contre son oncle avec tant d'abandon. Il lui semblait que Cam et elle poursuivaient une double conversation : l'une était sans danger et superficielle, l'autre semée d'obstacles...

Quand Cam se gara devant sa maison, ils se taisaient depuis plusieurs kilomètres. Il était près de minuit, et le quartier était plongé dans une obscurité silencieuse.

Lacey remonta l'allée, intensément consciente de la présence de Cam, derrière elle. Elle ouvrit la porte, et ils pénétrèrent dans la maison paisible. Derwent jaillit hors de la cuisine et la jeune femme se baissa pour lui gratter l'oreille, heureuse qu'il lui offrît cette échappatoire.

Elle ne savait pas pourquoi cette diversion était souhaitable. Rien n'était arrivé. Rien n'avait été dit. C'était un soir comme tous les autres soirs... Mais quelque chose de différent flottait dans l'air, quelque chose qu'elle n'aurait su nommer et qui n'existait peut-être que dans son imagination.

Derwent lui lécha la main, puis il retourna se coucher dans la cuisine. Lacey se redressa et inspira profondément. Elle était ridicule ! Il était tard, elle était fatiguée parce qu'elle s'était fait beaucoup de souci à propos de cette visite chez la sœur de Cam. C'est ce qui expliquait sa tension, voilà tout.

Elle s'éclaircit la gorge.

— Je crois que je vais aller me coucher.

— Bonne idée.

Elle le regarda vivement, effrayée à l'idée que ces quelques mots pouvaient contenir une allusion. Mais rien dans l'expression de Cam ne laissait supposer qu'il avait voulu dire autre chose que ce qu'il avait dit.

« Mais qu'est-ce que j'ai, ce soir ? » songea-t-elle.

— Eh bien, bonne nuit.

Elle hésita un instant avant de s'approcher de lui. Leur

baiser du soir était un rite, il n'y avait aucune raison de s'affoler.

Les mains de Cam s'arrondirent en coupe autour de son visage, tandis qu'il se penchait vers elle. Elle sentit ses paumes calleuses effleurer ses joues, puis elle respira son eau de Cologne, mêlée d'une vague odeur de bois qu'elle associait à lui. Du pouce, il lui caressa une pommette d'une façon étrangement excitante. Les cils de Lacey battirent...

La bouche de Cam était chaude, à la fois tendre et exigeante. Ses doigts glissèrent jusqu'à sa gorge, se posant à l'endroit où une veine battait follement. Les bras de Lacey se nouèrent autour du cou de son mari. Du plus profond d'elle-même, le désir surgissait, balayant tout sur son passage.

Les lèvres entrouvertes, elle s'abandonna au baiser passionné de Cam. Toute sa vie, elle avait été incomplète, mais elle ne le comprenait que maintenant. De tout temps, elle avait aspiré à cet instant, à cet homme, dans cette maison.

La main de Cam trouva les épingles qui retenaient ses cheveux en un chignon sage. Elles tombèrent sur le sol, avec un cliquetis qui parut incroyablement bruyant, dans le silence de la nuit. La chevelure de Lacey croula sur ses épaules, comme une cascade de miel soyeux. Perdant un peu de son contrôle, Cam tira la tête de la jeune femme en arrière d'une main, tandis que de l'autre, il lui caressait les reins. Serrée contre lui, elle perçut avec quelle intensité il la désirait. Elle-même n'avait jamais rien voulu comme elle voulait Cam à cet instant. Elle en ressentait une véritable douleur dans toutes les fibres de son corps.

La force qui la poussait vers lui l'effraya. Si elle s'abandonnait, elle pourrait perdre son âme. C'était trop tôt, beaucoup trop tôt. Au prix d'un énorme effort, elle détourna ses lèvres de celles de Cam.

— Non, murmura-t-elle.

Pendant quelques secondes, elle ne sut pas s'il l'avait entendue. Il continuait de la serrer contre lui, avec une faim inassouvie. Elle savait que s'il décidait d'insister, elle ne pourrait rien faire pour l'arrêter. Levant les yeux vers lui, elle lut dans ceux de Cam qu'il le savait aussi.

Pendant un instant, un instant seulement, elle comprit qu'il avait envie de passer outre. Le temps suspendit son vol. Elle cessa de respirer... Enfin, il soupira, juste avant de la libérer.

Lacey recula d'un pas.

— Je suis désolée.

— Vous avez tort.

— Je n'aurais pas dû...

— Je vous en prie, Lacey, allez vous coucher. Et abandonnez cet air coupable. Je suis un grand garçon, les douches froides me font le plus grand bien.

Il lui adressa un petit sourire, comme pour lui faire comprendre qu'il ne lui en voulait pas.

— Bonne nuit, Cam.

— Bonne nuit.

Elle se détourna lentement, résistant de toutes ses forces au besoin de faire demi-tour pour se jeter dans ses bras.

9.

La semaine suivante, Lacey comprit véritablement le sens de l'expression « tension sexuelle ». Si elle avait cru être sensible à la présence de Cam, auparavant, ce n'était rien à côté de ce qu'elle ressentait maintenant. Il paraissait impossible qu'un simple baiser eût transformé à ce point leurs relations, pourtant c'était bien ce qui s'était produit.

Si Cam entrait dans la pièce où elle se trouvait, elle en était aussitôt avertie par le frisson qui parcourait sa colonne vertébrale avant de gagner toutes ses terminaisons nerveuses. Et il ne s'agissait pas seulement de la présence physique de Cam. Elle avait une conscience nouvelle de lui, en tant que personne. Malgré ce qu'il avait dit, ce qu'elle savait de son passé l'influençait. Lorsqu'elle le regardait, elle songeait à ce qu'il avait été et voyait ce qu'il était maintenant. Et ce qu'elle voyait lui plaisait… Cameron McCleary lui plaisait, il y avait même des moments où il faisait plus que lui plaire. Mais elle ne voulait pas y réfléchir. Pour l'instant, il lui suffisait de savoir que son mari ne lui répugnait pas. L'amour viendrait plus tard, quand elle serait prête à le recevoir.

Visiblement, Cam avait perçu le changement. Il paraissait plus attentif. Il n'y avait pas que cela. Leurs baisers ne se limitaient plus à un bonsoir plus ou moins chaste... Il l'embrassait le matin, il l'embrassait quand elle partait pour la boutique et quand elle rentrait à la maison. Parfois, il l'embrassait même sans raison.

Au début, Lacey avait été désorientée. Elle s'interrogeait sans fin sur le moindre de leurs attouchements, se demandant ce qui allait suivre, analysant ses propres réactions. Puis, comme il n'insistait pas, elle avait fini par se détendre et apprécier ces échanges.

De son côté, Cam n'avait pas la conscience tout à fait tranquille. Il se demandait s'il méritait bien la confiance de sa femme. Il avait délibérément agi de façon à la convaincre qu'il était inoffensif. En réalité, il se sentait des instincts de prédateur.

Un jour, il avait observé un chat qui surveillait un oiseau. D'abord, il avait feint l'indifférence, puis il lui avait sauté dessus sans crier gare. Si Lacey avait eu la moindre idée de l'attrait qu'elle exerçait sur lui, sans doute ne se serait-elle pas fiée à lui avec autant de candeur...

Bien sûr, il n'avait pas l'intention de lui faire du mal. Bien qu'il s'efforçât de la séduire, c'était en tout bien tout honneur. S'ils voulaient la réussite de ce mariage, il faudrait bien que tôt ou tard elle lui appartînt. Qu'y avait-il de mal à la préparer en douceur à ce qui devait être.

D'ailleurs, il ne s'agissait pas pour lui d'une simple aventure. Il était marié avec une jeune femme qu'il ne désirait pas seulement, mais qui lui plaisait profondément. Il l'aimait le matin, avec ses yeux pleins de sommeil. Il aimait la détermination avec laquelle elle avait mené sa barque. En fait, il aimait tout d'elle.

Si on considérait les choses sous cet angle, on ne pouvait vraiment pas lui reprocher d'utiliser une stratégie déloyale... Du moins, s'efforçait-il de s'en persuader.

La maison de Mme Newton brillait de tous ses feux, dans le crépuscule. Cam gara la voiture dans l'allée, puis il en sortit et alla ouvrir la portière de Lacey. Elle accepta la main qu'il lui tendait.

— Vous êtes sûr que cette soirée ne vous ennuie pas ? Je ne suis pas parvenue à dissuader maman de l'organiser.

Dans la pénombre, l'expression de Cam était indéchiffrable.

— N'ayez crainte, je ne suis pas contrarié le moins du monde.

— Maman désire seulement vous montrer à tout le monde, sans doute pour prouver que je suis bien mariée.

— Il n'y a pas de mal à cela. Vous devriez cesser de vous interroger sur les motivations de votre mère. Prenez-la telle qu'elle est, vous verrez que tout ira beaucoup mieux.

Lacey soupira.

— Peut-être. Mais vous ne la connaissez pas depuis aussi longtemps que moi. Elle ressemble à une fleur fragile, pourtant elle a le chic pour parvenir à ses fins.

— C'est déjà fait, il me semble. Que peut-elle désirer de plus, maintenant que vous êtes mariée ?

La jeune femme hésita.

— Je ne sais pas... Vous avez sans doute raison, peut-être s'agit-il seulement de célébrer sa victoire.

Cam se mit à rire.

— Elle peut difficilement se targuer d'y être pour quelque chose.

— Vous ne connaissez pas ma mère...

D'une main nerveuse, Lacey remonta une mèche imaginaire. Cam lui attrapa le poignet et l'attira contre lui.

— Vous êtes splendide. Cessez de vous tracasser.

Ce compliment banal eut le don de rassurer la jeune femme, qui rit faiblement.

— Quand il s'agit de ma mère, je suis un peu paranoïaque.

— Un tout petit peu seulement.

Ils étaient arrivés devant la porte. Tandis qu'il appuyait sur la sonnette, Lacey respira profondément pour calmer les battements désordonnés de son cœur. Soudain, Cam se pencha pour s'emparer de ses lèvres. Perdant l'équilibre, elle se cramponna au cou de son mari, à l'instant même où sa mère paraissait sur le seuil. A dessein ou non, Cam n'aurait rien pu faire qui enchantât davantage Mme Newton.

— Voulez-vous bien cesser, tous les deux! Ce n'est pas l'endroit pour embrasser votre femme avec autant de passion, Cam!

En dépit de son ton réprobateur, il était clair qu'elle était ravie. Cam prit son temps pour libérer Lacey. Il se redressa lentement, sans la quitter des yeux. Les oreilles bourdonnantes, elle remarqua l'étincelle qui brillait au fond des prunelles bleues, leur donnant l'éclat du saphir. Il se détourna pour saluer Mme Newton, et elle se demanda si elle avait rêvé.

Une foule d'invités se pressaient dans le salon. Ignorant le regard implorant de Cam, Lacey l'abandonna à la sollicitude maternelle. Ce baiser impromptu méritait bien un châtiment, songea-t-elle avec une rancune teintée d'humour. Elle prenait une coupe de champagne sur le buffet, lorsqu'une voix retentit dans son dos.

— Tu es l'une des rares personnes au monde pour laquelle j'accepte de me déguiser de cette manière.

Lacey se tourna vers Jimbo. Il semblait fort mal à l'aise dans son habit noir.

— Tu ressembles à un pingouin, remarqua-t-elle.

— Femme sans cœur!

Le ton de Jimbo était dénué d'amertume. Etonnée, Lacey constata que les yeux de son ami semblaient la traverser. Elle se retourna, afin de voir ce qui attirait son attention. Cam et sa mère se trouvaient au centre d'un petit groupe d'invités. Cam était en train de parler. Il devait raconter quelque chose de drôle, car tout le monde riait.

— On dirait que Cam et maman s'entendent bien.

La jeune femme se détourna, le cœur un peu serré. Elle était contente que son mari plût à sa mère, pourtant elle aurait préféré que sa mère plût un peu moins à son mari...

— Pourquoi ne m'as-tu jamais dit combien ta mère était belle?

La question de Jimbo prit Lacey au dépourvu. Sa mère, belle? Elle fit volte-face pour considérer Mme Newton d'un œil nouveau. Oui... Sans doute pouvait-on la qualifier de « belle ». Elle possédait la même silhouette délicate que sa fille, sa peau était restée douce et lisse. Les années n'avaient fait que l'effleurer. Même les mèches argentées qui striaient ses cheveux blonds les paraient d'un éclat supplémentaire.

— Tu ne me l'as jamais demandé, répondit-elle enfin.

— J'aurais dû m'en douter. Telle fille, telle mère.

Lacey releva un sourcil ironique.

— La flatterie ne te mènera nulle part. Je t'ai déjà pardonné le rôle que tu as joué à Las Vegas.

— Je ne suis pas sûr que tu aies quoi que ce soit à me pardonner. Cam et toi êtes faits l'un pour l'autre. Si tu ne l'avais pas épousé, serais-tu vraiment plus heureuse?

Lacey cessa de mordre dans son sandwich. Jimbo avait le chic pour poser la mauvaise question. A moins que ce ne fût la bonne...

— N'essaie pas de nier ta responsabilité.

De nouveau, les yeux de Jimbo ne la voyaient pas. Sans avoir à se retourner, elle sut qui approchait d'eux au frisson qui parcourut son épine dorsale.

— Maman... Cam.

Mme Newton glissa un bras affectueux sous celui de sa fille.

— Ma chérie, t'ai-je dit combien tu étais jolie ?

— Depuis que tu m'as acheté cette robe, tu te sens plus ou moins obligée de remarquer qu'elle me va.

Lacey avala une gorgée de champagne. Seigneur ! Cam portait l'habit à ravir.

— Puisque tu en parles, j'avoue que je ne me suis pas trompée. Cette couleur te convient à merveille. Vous n'êtes pas de mon avis, vous deux ?

Les yeux lumineux de Mme Newton allèrent de Jimbo à Cam. Les joues roses, Lacey fit appel à toutes ses bonnes manières pour ne pas rabrouer sa mère.

— J'ai déjà dit à Lacey ce que j'en pensais.

La voix de Cam l'effleura comme une caresse. La chaleur de son regard alluma une fournaise sous sa peau.

— On devine facilement de qui Lacey tient sa beauté, madame Newton.

Lacey jeta un coup d'œil sévère en direction de Jimbo. Mme Newton roucoulait de plaisir.

— Appelez-moi, Millie, voyons. Vous vous appelez James, n'est-ce pas ?

— Tout l'honneur sera pour moi, Millie.

Lacey leva vers Cam un regard incertain. Il lui adressa une mimique expressive, comme pour lui faire part d'un étonnement égal au sien.

Jimbo regardait sa mère comme s'il apercevait un coin de paradis. Et sa mère... On ne pouvait interpréter son expression, mais une roseur délicate avait envahi son visage et ses yeux paraissaient plus brillants. Il n'y avait rien que sa mère préférât à un flirt sans conséquences. Pour l'instant, nul n'aurait pu décider si elle voyait en Jimbo davantage qu'un divertissement agréable.

— Lacey m'a dit que vous êtes comptable, Jimbo.

Laissez-moi vous présenter à Harry Moore. Il possède une petite affaire et il vient juste de me confier qu'il donnerait son bras droit pour trouver un bon comptable. Venez!

Mme Newton glissa une main fine sous le coude de Jimbo et l'entraîna. Penché vers elle, il buvait toutes ses paroles d'un air extasié.

— Qu'en pensez-vous? demanda Cam.

— C'est difficile à dire... Jimbo semble avoir perdu la tête. Quant à maman... Elle m'a toujours dit que les dames du Sud savaient flirter dès le berceau.

Haussant les épaules, Lacey posa sa coupe vide sur une table.

— Et vous?

— Moi?

— Vous avez reçu ce don en partage?

De nouveau, les joues de Lacey s'empourprèrent.

— Au grand regret de maman, il semblerait que non.

— Vous avez vos qualités propres.

Se trompait-elle, ou cette affirmation était-elle à double sens? Lacey s'absorba dans la contemplation de sa coupe, où le champagne pétillait avec une sorte de gaieté. Elle en but une gorgée, tout en évitant soigneusement de croiser le regard de Cam.

— Vous êtes particulièrement ravissante, ce soir, remarqua-t-il.

Lacey chercha vainement une réponse appropriée. Les doigts serrés autour du fragile pied de cristal, elle percevait les battements accélérés de son cœur. D'un geste nerveux, elle lissa la soie de sa jupe, qui prit un éclat chatoyant, à la lumière des lustres.

— Etes-vous toujours muette lorsque quelqu'un vous adresse un compliment? plaisanta Cam.

La jeune femme sursauta. Elle ne s'était pas aperçue que le silence s'éternisait entre eux.

— Excusez-moi, j'avais oublié où je me trouvais. Merci. Je suis heureuse que ma robe vous plaise. Maman a acheté le tissu à l'occasion d'un voyage au Japon.

— Elle a eu raison. Cette nuance d'un vert doré vous va très bien.

Elle s'efforça de le regarder en face.

— Merci. Vous savez, Cam, je pourrais croire que vous flirtez avec moi.

— Pourquoi pas?

— Ce serait peine perdue... De flirter avec votre femme, je veux dire. En général, les hommes profitent des réceptions pour courtiser des étrangères.

— Pourquoi le ferais-je quand la plus jolie se trouve à mes côtés? D'ailleurs, nous ne sommes pas tout à fait mariés, non?

Cette fois, Lacey manqua s'étrangler. Avant qu'elle pût trouver une réplique satisfaisante, Mme Newton vint se glisser entre eux.

— Vous n'avez pas le droit de négliger vos invités sous prétexte que vous êtes nouveaux mariés! Lacey chérie, tante Phoebé est venue tout exprès de Las Vegas pour te voir. Je pense que tu pourrais faire un effort pour te montrer polie envers elle.

— Pourquoi? Elle ne fait jamais elle-même l'effort de se montrer polie envers les autres!

Lacey avait grommelé sa réponse dans sa coupe. Sa mère l'avait trop bien élevée pour qu'elle esquivât la corvée. Bien qu'elle détestât sa tante Phoebé, elle lui ferait la conversation aussi longtemps que la vieille demoiselle le désirerait. Avec un soupir, Lacey vida sa coupe et se dirigea vers le buffet pour en reprendre une autre.

Mme Newton entraînait Cam. Pauvre Cam! On ne pouvait rien pour lui. Sa mère ne le lâcherait que lorsqu'elle l'aurait présenté à tous ses hôtes.

— Lacey?

La jeune femme se retourna en souriant.

— Lisa! Je croyais que tu ne pourrais pas quitter New York?

Elle prit la main de son amie et l'attira en pleine lumière pour scruter son visage. Elle n'avait pas oublié les propos désabusés de Lisa, la dernière fois qu'elles s'étaient vues.

Lisa haussa les épaules.

— On peut toujours annuler un rendez-vous. J'ai décidé d'assister à la réception de mariage de ma meilleure amie, même si elle vient avec un peu de retard.

— Tu connais maman. Je lui ai dit qu'il était ridicule de lancer des invitations si longtemps après le mariage, mais elle n'a rien voulu entendre.

— Il faut avouer que ta mère est une hôtesse merveilleuse.

Lisa posa sa coupe de champagne sur un plateau avant d'en reprendre une autre. Gênée, Lacey songea que son amie semblait déjà un peu ivre.

— Où est Franck?

— Oh! Quelque part par là. La dernière fois que je l'ai vu, il discutait avec une rousse superbe, moulée dans sa robe comme dans une seconde peau.

— Ce doit être Sally. Ne t'inquiète pas, elle est inoffensive. Crois-le ou non, c'est une épouse et une mère dévouées. En ce moment, elle assomme probablement ce pauvre Franck avec ses anecdotes familiales.

Lisa esquissa une moue triste.

— Exactement ce dont il a besoin. Franck ne rêve que de fonder une famille, depuis quelque temps. Je parie qu'il écoute religieusement ta Sally lui décrire ses chères têtes blondes.

Lacey posa la main sur le bras de son amie.

— Lisa... Tu as des ennuis avec Franck? J'ai toujours cru que vous filiez le parfait amour, tous les deux.

Lisa posa sur Lacey des yeux vides.

— Le parfait amour ? C'était vrai autrefois, mais il est diificile de maintenir les liens du mariage, par les temps qui courent. Apparemment, nos chemins divergent.

Le visage de Lisa se durcit.

— Profite de tous les bons moments que tu passes avec Cam, Lace, parce que cela ne durera pas. Et ne remets pas à plus tard ce dont tu peux jouir aujourd'hui en t'imaginant que tu as le temps.

Lacey ouvrait la bouche pour poser une question, lorsque Mme Newton fit irruption entre Lisa et elle. Elle tenait à s'assurer que sa fille suivait bien ses consignes. Plus tard, lorsque Lacey chercha son amie des yeux, elle s'aperçut qu'elle avait disparu, ainsi que son mari.

Leur conversation ne cessa de la troubler durant toute la soirée. Elle avait toujours pensé que Lisa et Franck formaient un couple exemplaire. Très amoureux l'un de l'autre, ils avaient des intérêts communs. En outre, la décontraction de Franck paraissait équilibrer heureusement l'excitation perpétuelle de Lisa. Si leur union se soldait par un échec, comment pouvait-elle espérer que Cam et elle allaient réussir ?

Les yeux de la jeune femme cherchèrent la haute silhouette de Cam. Légèrement penché, il écoutait le bavardage de la tante Phoebé sans paraître le moins du monde incommodé. Cette vue apaisa Lacey. Il avait l'air si solide ! Auprès de lui, tous les hommes qu'elle avait connus étaient fades et sans consistance. Comme s'il avait senti son regard, il se retourna et balaya la pièce des yeux jusqu'à ce qu'il la trouve.

Il ne lui sourit pas, il se contenta de la fixer jusqu'à ce qu'elle sentît son cœur battre plus vite. Comme s'il prenait une décision soudaine, il adressa quelques mots à la tante Phoebé avant de la quitter, puis il traversa la pièce en direction de Lacey. Le voyant approcher, elle fut parcourue par un frisson d'anticipation.

— Vous ai-je dit combien vous étiez ravissante?

— Il me semble que oui.

— Je n'ai cessé de vous regarder pendant toute la soirée.

Lacey baissa ses longs cils pour dissimuler la joie inattendue que lui causaient ces paroles.

— Vraiment? Vous devriez vous montrer plus prudent. Mon mari pourrait en prendre ombrage.

Un lent sourire étira la belle bouche de Cam.

— Seriez-vous affligée d'un mari possessif?

— En fait, je l'ignore. Nous avons fait un mariage de convenance.

Elle leva les yeux vers lui. Il la regardait avec une telle intensité qu'elle battit des paupières et se dut se détourner. La poussant contre le mur qui se trouvait derrière elle, il s'interposa entre elle et les autres convives.

— Vous m'étonnez... Vous êtes bien trop belle pour qu'un homme supporte longtemps de n'être marié avec vous que par convenance.

Lacey réprima un sourire. Elle commençait à comprendre le goût de sa mère pour le marivaudage. Peut-être était-ce héréditaire...

— Merci.

— Je parie qu'il ne dort pas de la nuit, poursuivait Cam. Etendu non loin de vous, il pense à votre corps si chaud et si doux, caché sous les couvertures. Il imagine votre peau contre la sienne.

Un flot de sang monta au visage de Lacey. Levant les yeux, elle plongea dans les prunelles bleues, où brûlait un feu ardent.

— Vous croyez? murmura-t-elle.

— J'en suis certain.

La voix grave était si caressante qu'elle frémit. Cam prit la main de la jeune femme et effleura son poignet du pouce. Elle fermait les yeux, quand la voix de sa mère l'arracha brusquement à l'enchantement.

— Ce n'est pas parce que vous venez de vous marier que vous avez le droit de vous montrer impolis envers les invités! les morigéna-t-elle une seconde fois.

Cam adressa à sa belle-mère son sourire le plus charmeur.

— Il se fait tard, mère, et nous nous levons tôt demain matin. Je suis sûr que vous ne nous en voudrez pas si nous partons de bonne heure?

— Eh bien...

Mme Newton lança aux jeunes gens un regard incertain. Elle n'avait pas prévu que les invités d'honneur s'éclipseraient les premiers. Mais Cam ne lui laissa pas le temps de protester. Prenant sa femme par le coude, il l'entraîna vers la porte.

Lorsqu'elle fut assise dans la voiture, Lacey ne put réprimer un fou rire. A sa connaissance, c'était la première fois que sa mère trouvait son maître. Cam tourna vers elle des yeux interrogateurs.

— Vous ne lui avez pas laissé le temps de prononcer un mot! s'émerveilla-t-elle. Vous ne lui avez même pas dit pourquoi nous partions!

— J'aurais totalement manqué de tact si je lui avais dit que j'emmenais ma femme pour la séduire.

Lacey retint son souffle, pendant qu'il mettait le contact. Le grondement du moteur les isola du reste du monde, lui épargnant de trouver une réponse.

La main de Cam flatta la nuque de la jeune femme. Elle rejeta la tête en arrière, comme pour mieux s'offrir aux lèvres qui prenaient les siennes. Leur baiser ne dura pas longtemps, mais il fut passionné. Lorsque Cam s'écarta, Lacey n'eut pas la force de protester. D'ailleurs, le désirait-elle vraiment?

Malgré la brièveté du trajet, chaque seconde lui parut accroître la conscience qu'ils avaient l'un de l'autre. Lorsque Cam s'engagea dans l'allée, Lacey avait l'impression que son corps tout entier était parcouru par un curieux picotement.

En silence, ils franchirent la distance qui séparait la voiture du seuil de la maison. Cam avait laissé une lampe allumée dans la salle de séjour, si bien que l'entrée était faiblement éclairée. Après avoir refermé la porte derrière eux, il se tourna vers Lacey avec une lenteur délibérée.

— Vous êtes très belle, ce soir.

Du bout des doigts, il effleura le cou de la jeune femme.

— Je ne pouvais pas attendre plus longtemps pour être seul avec vous. Dites-moi que vous le désiriez aussi.

La main de Cam glissa le long de son épaule, entraînant la bretelle de sa robe. Le souffle coupé, Lacey ne protesta pas. Dans la pénombre, les yeux de Cam brillaient. Lorsque ses lèvres se posèrent sur sa nuque, elle ferma les siens.

Il déposa une pluie de baisers sur la peau douce, tout en respirant avec délice le parfum suave dont elle était imprégnée. Se sentant défaillir, Lacey noua ses bras autour du cou de son mari.

— Lacey, avouez que vous me désirez autant que je vous désire.

Prise d'une sorte de vertige, elle songea qu'elle avait besoin de réfléchir. Mais comment l'aurait-elle pu, quand leurs corps étaient soudés l'un à l'autre ? Malgré elle, les doigts de la jeune femme frôlèrent le visage de Cam, effleurèrent sa bouche sensuelle, son menton énergique. Bien qu'il n'esquissât pas le moindre mouvement, elle sentait sa tension à la façon dont sa main se crispa dans son dos.

Il n'était pas si difficile de répondre, après tout.

— Oui...

Il se pencha vers elle pour prendre sa bouche avec une

passion qui la bouleversa. Puis elle sentit qu'il faisait glisser le zip de la fermeture Eclair. Soudain, le désir qu'ils contenaient depuis si longtemps se donna libre cours. Sans même s'en apercevoir, Lacey déboutonna la chemise de Cam et se mit à caresser les muscles puissants, tandis que sa robe glissait sur le sol dans un murmure soyeux. Au moment où le bout de ses seins touchaient la large poitrine de Cam, elle gémit de plaisir.

Il se pencha pour glisser un bras sous ses genoux et la souleva comme si elle avait été une plume. L'espace de quelques secondes, il sembla à la jeune femme que le monde tournait autour d'elle et elle s'accrocha au cou de son compagnon.

— N'ayez pas peur, je ne vous laisserai pas tomber.

La voix de Cam était enrouée. Lacey rejeta la tête en arrière pour rencontrer son regard, mais elle ne put le soutenir très longtemps et se détourna. Il l'emporta jusqu'à sa chambre et la déposa sur le lit avant de s'étendre sur elle. Cernée de toutes parts par ce corps puissant, par sa chaleur et son odeur, elle se sentait à la fois protégée et vulnérable comme elle ne l'avait jamais été. Elle le désirait, pourtant l'intensité de son propre désir l'effrayait.

Elle glissa les doigts dans l'épaisse chevelure pour l'attirer contre elle. Demain, il serait bien assez tôt pour réfléchir... Pour l'instant, elle voulait seulement se perdre en lui.

10.

Lacey s'éveilla lentement, envahie par une sensation de chaleur et de satisfaction. Elle enfouit son visage dans l'oreiller. Ce matin avait quelque chose de spécial. Elle n'aurait su préciser de quoi il s'agissait, mais elle savait qu'il l'était. Elle avait la même impression lorsque petite fille, elle s'apprêtait à découvrir ses cadeaux d'anniversaire.

Souriante, elle s'étira comme une jeune chatte. Elle ne désirait pas vraiment savoir pourquoi elle se sentait si bien, elle préférait jouir de l'instant présent.

Il y eut un mouvement, tout près d'elle, et un bras incontestablement masculin lui entoura la taille. Elle ouvrit les yeux, brusquement ramenée à la réalité.

Cam. Comment avait-elle pu oublier, ne serait-ce que l'espace d'un instant, en quoi ce jour était différent. Ils avaient fait l'amour, la nuit dernière, et même... plus d'une fois.

Soudain, la mémoire lui revenait, suscitant des images troublantes. Les mains de Cam, sur son corps, si expertes et si sûres... Sa bouche qui savait créer des sensations inconnues jusqu'alors...

Les joues de la jeune femme s'empourprèrent. Elle-même n'avait pas été inactive, lors de ces tendres joutes. Elle en avait plus appris sur sa sensualité pendant ces quelques heures que durant sa vie entière. Cam était un amant merveilleux, fort et attentif. Il pouvait tour à tour l'entraîner à la conquête du plaisir, ou bien lui permettre de découvrir seule la voie qui menait jusqu'à lui. Lacey rougit davantage. Elle s'était montrée totalement dénuée de pudeur, cette nuit-là, et elle avait joui de chaque minute écoulée.

Mais ces moments étaient passés. A la lueur du jour, les événements lui apparaissaient sous un aspect différent. Dorénavant, leur mariage n'était plus un contrat de papier, il devenait réel. Et maintenant qu'il était trop tard, elle n'était pas certaine d'être prête à affronter cette réalité.

Rejetant les couvertures, elle souleva légèrement le bras de Cam afin de glisser hors du lit. Le sol était froid, sous ses pieds nus. Elle se sentait si brûlante que ce contraste lui parut agréable. Avisant la chemise de Cam, elle la ramassa pour la draper autour de son corps nu.

Derrière elle, son mari se retourna dans le lit. Lacey hésita, pressée de s'enfuir, mais incapable de résister à l'envie de le regarder. Les couvertures s'arrêtaient à sa taille, révélant un torse puissant et de larges épaules. Elle n'eut pas besoin de fermer les yeux pour évoquer sa peau lisse sous ses doigts.

L'espace d'un instant, elle lutta contre le désir de retourner auprès de lui. Mais elle avait un magasin à ouvrir. D'ailleurs, elle se sentait trop vulnérable, trop fragile. Il lui fallait un peu de temps pour se retrouver avant d'affronter Cam de nouveau.

Quand la porte se referma sur Lacey, Cam roula de nouveau sur lui-même. Le parfum de la jeune femme flottait dans l'air. Il dut réprimer l'envie de la rejoindre pour l'emporter vers le lit qui désormais serait le leur, du moins il l'espérait. L'instinct l'avertit qu'il valait mieux faire preuve de prudence.

Il s'adossa aux oreillers, les yeux fixés sur la porte comme si elle allait lui livrer un secret. Il ne voulait pas l'effrayer. La nuit dernière, ils avaient franchi un seuil important. Si elle voulait respirer un peu, il respecterait son souhait et ne la brusquerait pas.

Cependant, il ne voulait pas la laisser réfléchir trop longtemps. En ce moment, elle était en route vers le magasin. Mais même les propriétaires ferment boutique pour déjeuner...

Les Frivolines de Lacey avaient du succès grâce au travail acharné de leur fondatrice. La jeune femme pouvait à juste titre s'estimer fière de son œuvre. Elle n'avait pas besoin d'un stock important, car elle ne proposait à sa clientèle que la meilleure qualité, du sac de cuir importé d'Italie à la lingerie française d'une finesse exceptionnelle.

Ses clientes désiraient ce qu'il y avait de mieux, et elles étaient prêtes à payer le prix pour cela. Lacey leur procurait en outre l'atmosphère raffinée qui convenait à leurs goûts de luxe. Tapissée de gris perle, la boutique avait tout d'un salon où l'on offrait thé et café en permanence.

D'ordinaire, Lacey n'éprouvait aucune difficulté à se concentrer sur son travail. Mais ce jour-là, ses pensées avaient tendance à se fixer sur les images de la nuit, quand elle ne se demandait pas ce que Cam pouvait faire, à cet instant précis.

Si Margaret n'avait pas été là, elle aurait sans doute perdu la moitié de ses gains de la matinée. Fort heureusement, son employée était fort capable de se débrouiller seule, et Lacey finit par se retirer dans son minuscule bureau afin de se mettre à ses comptes.

Cette tâche se révéla elle aussi insurmontable. Elle recomptait pour la troisième fois les chiffres de la même colonne, lorsque Margaret entrouvrit la porte. Lacey leva vers son employée des yeux reconnaissants.

— Un problème?

La brave femme secoua négativement la tête.

— Vous avez un visiteur... Je crois que c'est votre mari.

Le visage de Margaret eut une expression réjouie.

— Je dois dire que si un homme pareil se trouvait chez moi, je ne passerais pas mes journées ici.

Le rouge aux joues, Lacey fit mine de rassembler ses papiers.

— Vous avez Stanley.

— Certes, mais l'amour ne m'a pas rendue aveugle.

Souriant distraitement, Lacey se leva et lissa sa jupe d'une main nerveuse avant de tapoter son chignon blond. Un regard au miroir ne la rassura pas. Avec ses pommettes trop roses et ses yeux brillants, elle ne ressemblait plus à la jeune femme posée dont elle connaissait si bien le reflet...

Dans ce décor éminemment féminin, Cam paraissait encore plus viril, si cela était possible. Il portait un jean et une chemise bleue, et le contraste entre cette simple tenue de travail et la finesse des lingeries était frappant. Pourtant, il ne paraissait pas gêné le moins du monde, comme s'il avait été chez lui, parmi la soie et les dentelles.

A la vue de Lacey, il arbora un sourire éclatant.

— Bonjour. J'admirais la délicatesse de tes articles.

Le tutoiement la fit frémir. Du bout des doigts, il soulevait un soutien-gorge transparent. Lacey s'efforça de demeurer impassible.

— J'en ai acheté quelques-uns. Ils viennent de France.

Cam caressa le voile arachnéen.

— J'ai toujours pensé que les Français savent vivre.

Avec difficulté, Lacey détourna les yeux des grandes mains pour croiser un regard bleu d'une intensité gênante. Elle lui prit le sous-vêtement d'un geste brusque, afin qu'il ne vît pas qu'elle tremblait.

— Vous... Tu es venu dans un but précis?

Elle n'avait pas eu l'intention de se montrer aussi brusque, mais il lui avait fait perdre toute maîtrise d'elle-même.

— Je pensais que nous pourrions déjeuner ensemble.

Déjeuner? Elle ne savait pas très bien à quoi elle s'attendait, mais sûrement pas à une proposition aussi mondaine.

— C'est impossible. De nombreux clients profitent de leur heure de pause pour faire leurs achats.

— Oh! Ne vous inquiétez pas de cela, Lacey!

Le sourire de Margaret s'accentua. Depuis quelques minutes, elle s'affairait autour d'un étalage qui n'avait nul besoin d'être rangé. Visiblement, elle estimait qu'il était temps pour elle d'intervenir.

— Je peux m'en occuper seule, affirma-t-elle, ce ne serait pas la première fois.

— Qu'en dis-tu, Lacey?

Cam lui laissait la décision. La jeune femme hocha lentement la tête. Pourquoi était-elle aussi hésitante? La nuit précédente, ils avaient partagé des moments autrement plus intimes qu'un déjeuner...

— Je serai ravie... Il y a un café, en bas de la rue.

Quelques instants plus tard, la porte de la boutique se refermait sur eux. Dès qu'ils furent dehors, Cam lui prit la main. Ce geste simple apaisa aussitôt Lacey, lui ôtant toute envie de s'enfuir.

Par chance, le gros de la foule n'était pas encore arrivé et ils purent trouver une table libre près de la fenêtre. Ils n'échangèrent que quelques mots jusqu'à ce que le serveur vînt prendre la commande. La gorge inexplicablement serrée, Lacey en voulait à Cam sans bien savoir pourquoi. Soudain, une grande main à la paume calleuse s'empara de la sienne. Lacey leva les yeux. Cam souriait, une lueur de compréhension au fond de ses prunelles bleues.

— Je ne mords pas, tu sais.

— Je... je suis juste un peu nerveuse.

— A cause de ce qui s'est passé cette nuit?

— Ou... oui.

Cam fit la grimace car le serveur venait de déposer devant eux deux minuscules salades. Malgré sa gêne, Lacey ne put s'empêcher de sourire.

— Et à quoi attribues-tu cette nervosité?

— Je... sans doute me suis-je levée du mauvais pied, ce matin.

— C'est tout?

— Si c'est ce que tu veux savoir, je ne regrette rien.

— Tu en es sûre?

— Absolument. Et toi?

Elle retint son souffle. Cam semblait surpris.

— Moi? Je viens de passer l'une des nuits les plus merveilleuses de ma vie.

Elle ne pouvait mettre en doute sa sincérité. Sa tension se relâcha. Inconsciemment, elle avait dû craindre de l'avoir déçu, de ne pas s'être montrée à la hauteur de son attente. Elle lui adressa son premier sourire naturel de la matinée avant de croquer une feuille de salade. Autour d'eux, les tables étaient occupées par de nombreux couples. Pour certains, il s'agissait visiblement de rendez-vous d'affaires. Mais deux ou trois semblaient avoir des raisons plus personnelles de se rencontrer. L'espace d'un instant, elle se demanda comment Cam et elle étaient perçus.

— A quoi penses-tu, Lacey?

La jeune femme s'absorba dans la contemplation de son bol de salade.

— A rien d'intéressant. Je me demandais comment les autres nous voyaient.

— Les autres... Tu veux dire, les clients?

Elle hocha la tête, un peu gênée par sa puérilité.

— C'est une sorte de tic. J'imagine la vie des gens qui m'entourent et je me demande comment ils me perçoivent.

— Et comment penses-tu qu'ils nous voient?

— Je ne sais pas. A ton avis, nous avons l'air mariés?

— Il y a un air spécial?

— Je n'en suis pas certaine.

— Eh bien... S'il existe, je suis persuadé que nous allons l'acquérir. Donne-nous un peu de temps.

— En aurons-nous assez? fit-elle d'une voix à peine audible.

— Nous aurons tout le temps dont nous avons besoin.

— Je l'espère. Mais que se passera-t-il, si...

Elle croisa le regard confiant de Cam. Si seulement elle avait pu partager son assurance! Il pressa doucement les doigts fins de sa jeune femme, souhaitant ardemment apaiser l'anxiété qu'il lisait dans les grands yeux verts. Une mèche de cheveux blonds s'était échappée de son chignon sage pour frôler sa nuque. Il réprima l'envie de se lever pour la serrer dans ses bras.

— Lacey... Cesse de te tourmenter et vivons au jour le jour, comme tout un chacun. N'essaie pas de prédire l'avenir, d'accord?

Elle hocha imperceptiblement la tête. Un jour à la fois, ce n'était pas une trop mauvaise philosophie.

*
**

Ils entrèrent dans une nouvelle phase. Désormais, Lacey ne dormait plus dans la chambre d'amis. Le lit de Cam était bien assez large pour deux. Quelle que fût la tension de la journée, ils dormaient côte à côte... dans les bras l'un de l'autre.

Pourtant, il semblait parfois que c'était le seul endroit où ils progressaient. Bien qu'ils eussent résolu de passer davantage de temps ensemble, afin d'apprendre à se connaître, leurs occupations respectives étaient peu compatibles. Et le jour choisi par Lacey pour rendre visite à Cam dans son atelier ne fut pas le meilleur.

Par malheur, Cam s'était trompé dans son évaluation de la pression nécessaire pour recourber une petite pièce de bois. Juste au moment où Lacey arriva, il lâchait une série de jurons à faire pâlir un charretier.

— Je ne te dérange pas?

Cam inspira profondément.

— Pas du tout. Tu es rentrée plus tôt que d'habitude?

Il posa la pièce de bois pour prendre sa femme dans ses bras. Dès qu'il sentit sa bouche sous la sienne, il lui sembla qu'une grande partie de sa colère n'avait plus raison d'être.

Quand ils se séparèrent, Lacey leva vers son mari un regard timide.

— J'ai cru comprendre que tu avais des ennuis?

Cam haussa les épaules.

— Disons que la journée aurait pu être meilleure. Et toi?

— J'ai confié à Margaret le soin de fermer la boutique, j'ai deux ou trois choses à faire dans la maison.

— Des choses? Quel genre de choses?

— Rien d'important. Juste un peu de ménage.

— La maison n'a jamais été aussi propre. Tu ne crois pas que tu en fais un peu trop?

— Cela me plaît. C'est ici que tu passes tout ton temps?

Cam abandonna momentanément la question du ménage.

— Ce n'est pas grand, mais je n'ai pas besoin de davantage de place.

— C'est un peu encombré, tu ne trouves pas?

La jeune femme inspectait l'atelier du regard. Les étagères regorgeaient d'outils, de morceaux de bois et de pièces d'ameublement non terminées.

— Je m'y retrouve parfaitement.

Saisissant son regard inquiet, Lacey se mit à rire.

— Ne t'inquiète pas, je n'ai pas l'intention de remettre de l'ordre dans tes marteaux et tes clous.

— Tant mieux!

Son soulagement était si visible qu'elle pouffa.

— Lâche!

Il l'attrapa par la taille et l'attira contre lui. Il n'était jamais rassasié de la toucher, de respirer son parfum. Chaque fois qu'il la prenait dans ses bras, son cœur battait un peu plus vite.

— A quoi te servent tous ces outils?

La voix de Lacey tremblait légèrement. Il réprima un sourire. Bien qu'elle se montrât passionnée, dans l'intimité de la chambre à coucher, elle retrouvait sa timidité dès qu'elle ne se sentait plus protégée par ces quatre murs épais.

Il s'écarta légèrement pour la regarder dans les yeux.

— Tu veux vraiment parler métier?

Elle redressa le menton.

— Je pense que j'ignore tout de ce que tu fais.

Avec un soupir, Cam libéra la jeune femme. Elle s'empara d'un ciseau à bois et se mit à l'étudier comme s'il était l'objet le plus intéressant qu'elle avait vu depuis des semaines.

— A moins que tu ne veuilles ajouter l'ébénisterie à la liste de tes activités, il n'y a pas grand-chose à expliquer.

Prenant un morceau de bois, il en caressa le grain.

— C'est mon grand-père qui m'a appris tout ce que je sais. Je ne l'ai pas rencontré avant l'âge de quinze ans. Ma mère s'était querellée avec ses parents, avant de s'en aller pour épouser mon père.

Le visage de Cam s'était durci, comme s'il revivait une ancienne souffrance.

— Tu te souviens d'elle? demanda timidement Lacey.

Cam émit un rire dépourvu de joie.

— Je me rappelle surtout ses compagnons de passage. Elle me couvrait de cadeaux ou me privait du nécessaire, en fonction de leur générosité. C'était une femme futile et sans cœur. Je n'ai gardé aucun souvenir de mon père, mais je ne peux le blâmer de l'avoir quittée. J'en aurais fait autant, si j'en avais eu le choix. Pour finir, c'est elle qui est partie. Je me demande encore pourquoi elle m'a gardé auprès d'elle si longtemps.

— Peut-être t'aimait-elle à sa façon.

— Non. Elle n'aimait qu'elle-même.

Il n'y avait pas à discuter. Pourtant Lacey doutait qu'une femme pût n'éprouver pour son enfant que de l'indifférence.

— Cela a dû être très dur pour toi.

La platitude de cette phrase la consternait, mais que pouvait-elle dire?

— C'était l'enfer, dit simplement Cam. Mais tout a fini par s'arranger. Heureusement pour moi, Jimbo a estimé que je valais la peine d'être sauvé. Il n'était lui-même qu'un gosse, à l'époque. J'ignore ce qu'il a vu dans le petit voyou que j'étais. Maman et papa ont pris un plus grand risque encore. Ils croyaient si fort en moi que j'ai été bien obligé de ne pas les décevoir. Ensuite, j'ai fait la connaissance de mes grands-parents, ce qui m'a permis de retrouver mes racines, en quelque sorte. Quand j'ai constaté qu'ils étaient de braves gens, j'ai commencé à m'améliorer. Je pouvais espérer leur ressembler, et oublier ma mère. Du moins, c'est ainsi que je voyais les choses.

Lacey s'approcha de lui.

— Tu as décidé d'être ébéniste parce que ton grand-père l'était ?

— Pas tout à fait. A la seconde précise où il a déposé un morceau de bois entre mes mains, j'ai senti que je venais de trouver ce que je cherchais depuis si longtemps.

Au bout d'un long moment, Cam brisa le silence qui s'était abattu sur l'atelier.

— Assez de discours pour aujourd'hui. Tu es bien trop jolie pour te cacher dans un atelier. Si nous sortions dîner ?

— Je t'ai dit que j'ai des choses à faire.

— La poussière t'attendra.

Ecartant d'un geste ses arguments, Cam poussa Lacey vers la sortie. Lorsqu'il referma la porte sur eux, elle eut l'impression qu'il barrait la route à ses souvenirs.

11.

Cam passa son rabot sur la planche. Aussitôt, les copeaux ruisselèrent sur le sol. A l'approche de l'été, les journées s'allongeaient, et en cette fin d'après-midi, les rayons du soleil projetaient sur le bois blond des jeux d'ombre et de lumière.

S'il regardait par la porte du garage, il pouvait voir la silhouette de Lacey se profiler de temps à autre derrière la fenêtre de la cuisine. Elle était probablement occupée à préparer l'un de ces délicieux dîners dont elle avait le secret. La plupart des hommes en auraient été ravis, d'ailleurs il n'avait pas aussi bien mangé depuis des années. Pourtant, il était soucieux.

Ce n'était pas comme si Lacey s'était vraiment complu à passer son temps derrière les fourneaux. Non... Elle semblait plutôt vouloir prouver quelque chose. Il aurait été incapable de préciser de quoi il s'agissait. Cam hocha la tête pensivement. Peut-être avait-elle décidé d'incarner la fée du logis, à moins qu'elle ne traversât une phase d'activité débordante.

Jetant un coup d'œil à sa montre, Cam abandonna ses outils et s'étira avant de quitter l'atelier. Dehors, il fut enveloppé par une brise printanière. Malheureusement, les chaleurs de l'été n'allaient pas tarder à appesantir l'atmosphère. Il aimait l'été californien, pourtant il lui préférait la légèreté du printemps.

Cam ouvrit la porte de derrière et s'arrêta sur le seuil. L'odeur de l'ammoniaque se mêlait aux parfums des épices. A genoux sur le sol, Lacey leva les yeux vers lui.

— Chéri ! J'aurais dû te prévenir que je comptais laver par terre. Comme le repas ne sera prêt que dans une heure, j'ai pensé que j'avais le temps. Il faudra que tu passes par-devant.

Cam réprima un mouvement d'agacement. Les cheveux de Lacey étaient relevés en une queue de cheval, son visage luisait légèrement. Elle portait un jean délavé, un vieux T-shirt, et des gants de caoutchouc qui protégeaient ses mains.

— Tu es rentrée tôt ?

Elle tourna vers lui un regard distrait.

— Il y a environ une demi-heure, pourquoi ?

— Eh bien, il me semble que tu dois être fatiguée, après ta journée de travail. Tu ne crois pas qu'il vaudrait mieux te reposer, plutôt que de te précipiter sur le ménage et la cuisine ?

La jeune femme préféra ignorer le reproche implicite.

— Je suis en pleine forme, et le sol commençait vraiment à être dégoûtant.

Elle se remit à frotter le carrelage avec ardeur.

— Lacey, il n'est pas vraiment nécessaire de pouvoir manger sur le plancher, tu sais ?

— Bien sûr, mais Claire vient dîner chez nous, la semaine prochaine. Je désire que la maison étincelle de propreté.

Cam savait reconnaître une défaite. Il recula et contourna la maison pour rentrer par la porte principale, après quoi il se rendit directement dans la chambre. Sous la douche, il se reprochait déjà sa mauvaise humeur. Cela n'avait aucun sens ! Il aurait mieux fait de se réjouir des bons repas, de la maison propre, et... de la présence de Lacey dans son lit.

Le problème était qu'il ne désirait pas une fée du logis, il voulait une compagne, quelqu'un à qui parler, quelqu'un avec qui passer une soirée paisible, avec qui lire le journal ou regarder un film à la télévision. Malheureusement, Lacey ne semblait pas disposer d'un moment pour cela.

Non, il était injuste. Ils étaient allés au zoo, ils avaient passé une journée à la plage. Il sourit en évoquant le petit nez bronzé de sa femme... Non, il ne pouvait prétendre qu'ils n'avaient pas progressé dans la compréhension l'un de l'autre. Et plus il la connaissait, plus elle lui plaisait. Parfois même, il pensait qu'elle faisait plus que lui plaire...

L'eau chaude ruisselait sur son dos nu. Il ferma les yeux, sentant qu'il se détendait peu à peu. Un lent sourire étira ses lèvres, puis il se mit à rire doucement.

Il se comportait comme un imbécile. Après tout, si Lacey avait une passion pour les sols étincelants et les bons petits plats, il n'avait pas lieu de s'en plaindre !

C'est pourquoi il complimenta la jeune femme à propos de la propreté qui régnait dans la maison, mangea deux fois plus qu'il n'en avait eu l'intention, et garda résolument sa bonne humeur lorsqu'elle s'empara du balai. Au moins, dans l'intimité de leur chambre, elle ne pouvait ni cuisiner ni nettoyer.

Etendu sur son lit, un peu plus tard, il écoutait le ruissellement de la douche. Le mariage n'était pas une entreprise aussi aisée qu'il l'avait cru, mais il y avait de bons moments. Justement, Lacey sortait de la salle de bains, la peau encore humide, ses cheveux blonds tombant en vagues souples sur ses épaules. Elle portait un pyjama de soie grise à la Marlène Dietrich, sous lequel ses petits seins pointaient.

Comme elle s'asseyait sur le bord du lit, Cam nota ses épaules légèrement affaissées. Si seulement elle cessait de jouer les superfemmes, leur vie en serait facilitée. Pourtant, la vulnérabilité de sa jeune épouse l'attendrit. Se redressant, il posa ses mains sur sa nuque et commença à la masser.

— Tu travailles trop, lui dit-il doucement.

— Cela me plaît. D'ailleurs, je désire que tout soit parfait pour notre réception. Tu sais que nos familles se rencontreront pour la première fois.

— Cela ne signifie pas que la maison doive étinceler de mille feux. Personne ne regardera derrière la cuisinière.

— On ne sait jamais. Je préfère savoir que tout est propre.

— Tu ne peux pas tout faire.

— Ma mère y est toujours parvenue sans problème.

— En ce cas, dis-moi comment je peux t'aider.

Les mains de Cam retombèrent. Elle se baissa pour éteindre la lampe de chevet et se glissa sous les couvertures avec un soupir de satisfaction.

— Il m'est arrivé quelque chose de drôle, aujourd'hui.

La voix de Lacey était paisible, dans l'obscurité. S'étendant à son côté, Cam passa un bras autour de sa femme et l'attira contre sa poitrine. Il aimait ces instants d'intimité, juste avant le sommeil ou l'amour.

— Quoi donc?

— Jimbo est venu à la boutique.

— Que voulait-il?

— C'est justement ce qui est bizarre. Il ne me l'a pas dit, mais il s'est arrangé pour faire tourner la conversation autour de maman. Je l'ai invité à dîner la semaine prochaine, et quand il a su qu'elle serait là, son visage s'est illuminé comme s'il était convié à la Maison Blanche. Tu crois qu'elle lui plaît?

— Pourquoi pas?

— Eh bien... C'est ma mère, et elle est beaucoup plus âgée que lui. Et Jimbo... est Jimbo. Ils ne vont pas ensemble.

— J'ai déjà vu des combinaisons plus étranges.

— Comme la nôtre, par exemple?

— Hé là, pas si vite!

Lacey gloussa, car Cam s'était mis à la chatouiller. En de tels moments, lorsqu'ils étaient capables de rire d'eux-mêmes, il avait l'impression que leur union pouvait réussir.

— Lacey, la table est parfaite. Cesse de te faire du souci, veux-tu?

Bien qu'il s'efforçât de paraître enjoué, Cam n'avait pu masquer son agacement. La jeune femme lui adressa un sourire d'excuse.

— Pardonne-moi, j'essaie simplement de tout prévoir.

— Tu as fait des merveilles, tu es merveilleuse, je dirais même plus, on te croquerait volontiers.

Cam glissa un bras autour de la taille de Lacey. Elle lui rendit son baiser, mais il était clair que ses pensées étaient ailleurs. Il la lâcha en soupirant. Jusqu'à la fin de ce maudit dîner, il devait se résigner à vivre avec un bel androïde.

— Est-ce que je suis bien?

Cam s'efforça d'oublier que c'était au moins la troisième fois en une demi-heure qu'il répondait à cette question. Il l'observa avec soin, bien qu'il n'en eût pas besoin. La robe ivoire était d'une élégance raffinée. Avec son écharpe fuchsia nouée autour de la taille et ses cheveux retenus en arrière par des rubans de même nuance, elle semblait sortie tout droit du magazine *Vogue*.

— Tu es absolument ravissante.

Le compliment parut la rassurer, du moins momentanément.

— Merci. Tu es très beau toi-même.

Elle effleura du regard le pantalon brun et la chemise bleue qui rehaussait la couleur des yeux de Cam.

— Je m'efforce de vous plaire, gente dame.

Mais de nouveau, l'attention de Lacey était monopolisée par la table. Cam ne tenta pas de la distraire une seconde fois. Lorsque les invités seraient arrivés, peut-être consentirait-elle à se détendre.

Le début de la soirée fut parfait. La mère de Lacey arriva la première, suivie de près par Jimbo. Mme Newton s'assit dans un fauteuil, un petit verre de bourbon à la main, tandis que Jimbo s'appuyait à la cheminée sans la perdre de vue un instant.

Claire et Joe se présentèrent quelques minutes plus tard, et s'excusèrent de leur retard, causé par la difficulté à trouver une baby-sitter. Durant environ une heure, les espoirs de Cam furent comblés. Claire et Joe plaisaient visiblement à Mme Newton, et réciproquement. On pouvait en outre compter sur Jimbo pour relancer la conversation en cas de besoin. Quant à Lacey, elle rayonnait. Comme elle lui adressait un sourire adorable, Cam oublia en un clin d'œil la tension qui régnait dans la maison depuis deux semaines.

Vingt minutes avant le dîner, Lacey s'excusa auprès de ses hôtes et disparut dans la cuisine. Elle avait planifié son repas à la seconde près. Elle savait sur le bout des doigts tous ses temps de cuisson, et l'ordre exact dans lequel les plats seraient servis.

Cam portait son verre de bourbon à ses lèvres, lorsqu'un cri étouffé lui parvint de la cuisine. Aussitôt les conversations s'interrompirent. Cam s'était levé d'un bond et faisait signe aux autres de ne pas bouger.

— Ne vous inquiétez pas, je suis sûr que ce n'est rien.

Le visage décomposé de Lacey présageait au contraire une catastrophe. Debout devant le four, elle fixait deux gros chapons avec désolation.

— Que se passe-t-il?

La jeune femme désigna les volailles. Cam s'approcha, hésitant à comprendre. Les volatiles lui semblaient parfaits, avec leurs pattes nettement ligotées et leur peau lisse et pâle... Pâle? Ses yeux allèrent des poulets à sa femme. Il se détourna, luttant contre une formidable envie de rire.

— J'ai oublié de les mettre au four, fit-elle d'une voix tragique.

— Cela peut arriver à n'importe qui.

Elle leva vers lui des prunelles embuées par les larmes.

— Tout le reste est cuit, prêt à être mangé. Comment ai-je pu être aussi stupide!

— Lacey, ce n'est pas grave.

— Si, ça l'est. C'est en tout cas la preuve d'une incommensurable bêtise.

Elle paraissait si désolée que Cam ne trouva pas de mots pour la consoler.

— Ecoute, je vais appeler Dominique. Il nous fera livrer deux énormes pizzas, et tout le monde n'y verra que du feu.

Les yeux de Lacey le fixèrent avec un mépris désespéré.

— Des pizzas! Pourquoi pas des hamburgers frites? Je préférerais...

Cam ne sut jamais ce qu'elle aurait préféré. Le visage de la jeune femme exprimait un effroi mêlé de gêne.

— Maman!

— Lacey chérie, tout va bien? Je commençais à craindre que tu te sois blessée.

Au prix d'un énorme effort, la jeune femme parvint à sourire.

— Je vais bien, maman, mais je crois que nous allons avoir un petit problème avec le dîner. Je... J'ai oublié de mettre les chapons au four.

Mme Newton se mit à rire.

— Ne prends pas un air aussi tragique, ma chérie, nous allons arranger cela en un rien de temps.

Jimbo parut sur le seuil de la cuisine.

— Arranger quoi ? Oh ! Je te rappelle, Lacey, que tu étais censée nous servir de la bonne cuisine, pas de la viande crue.

— Merci de me réconforter, Jimbo. Cam suggérait justement que nous pourrions commander des pizzas.

Claire venait de les rejoindre. Elle lança à son frère un regard dégoûté.

— Des pizzas ! J'ai toujours su que tu manquais de classe !

Penaud, Cam haussa les épaules. Il ne voyait pas très bien ce que toutes ces femmes reprochaient à la cuisine italienne. Pour sa part, il avait toujours adoré cela.

Mme Newton effleurait les chapons d'un doigt parfaitement manucuré.

— J'ai une idée, ma chérie. Que dirais-tu d'un repas typique du bon vieux Sud ? Découpons ces volailles, mettons-les dans la farine et jetons-les dans l'huile. Personne ne mourra de faim.

Lacey fit la moue. L'idée de sa mère ne lui paraissait guère meilleure que celle de Cam. Claire battit des mains avec enthousiasme.

— Du poulet frit ! Je n'en ai pas mangé depuis des siècles.

— Je suis un as du découpage, affirma Jimbo.

Cam lui lança un regard amusé. Il soupçonnait son ami de n'avoir jamais touché de sa vie un couteau de cuisine. Il cherchait seulement un prétexte pour rester auprès de Mme Newton.

Quoi qu'il en fût, personne ne sembla regretter le dîner compliqué prévu par Lacey. Les morceaux de volailles disparurent à un rythme qui suggérait que les convives ne perdaient pas au change. Mais Lacey grignota à peine quelques bouchées. L'esprit ailleurs, elle ne pouvait s'astreindre à suivre les conversations animées qui se succédaient autour de la table. Ses chapons exquis... réduits à une nourriture qu'on aurait pu fournir au McDonald's! Bien sûr, elle était contente que la soirée fût sauvée. Et cela aurait pu être pire. Des pizzas... Elle en frémissait encore.

Enfin, il fut temps pour les hôtes de quitter la maison. La première réception de Lacey avait été un franc succès. Auprès de Cam, Lacey leur adressa un dernier signe de la main. Elle avait vraiment l'impression qu'ils étaient mariés, et ce n'était pas désagréable...

Cam referma la porte sur eux. Tout de suite, Lacey commença à ramasser les tasses qui parsemaient la salle de séjour.

— Tout s'est très bien passé, tu ne trouves pas?

Cam s'effondra sur le canapé.

— C'était parfait. Tu ne crois pas que le rangement peut attendre demain?

— Si je les mets dans le lave-vaisselle, tout sera propre à mon réveil.

— Laisse donc, je m'en occuperai moi-même.

— Ce n'est pas nécessaire.

— Qui a parlé de nécessité?

— Vraiment, Cam, je n'en ai pas pour longtemps. Je peux... Cam!

Il venait de passer un bras autour de sa taille. Elle eut juste le temps de déposer son plateau avant qu'il la soulève comme une plume.

— J'ai dit que je m'en occuperai.

Les lèvres de Cam se posèrent derrière son oreille,

provoquant aussitôt un picotement familier le long de sa colonne vertébrale.

— Cam, je ne pense pas...

— C'est cela, ne pense pas.

Il la déposa sur le canapé. Prise d'une sorte de vertige, elle sentit qu'il s'étendait sur elle. Les yeux bleus brillaient d'un éclat particulier.

— Cam...

Elle ne sut jamais ce qu'elle voulait dire. La bouche de Cam s'empara de la sienne, éparpillant ses pensées dans cent directions différentes.

Au bout d'un long moment, il murmura :

— Tu sais quel est ton problème, Lacey McCleary?

Elle battit des paupières.

— Non...

— Tu penses trop.

Il se mit à lui mordiller l'oreille. La jeune femme cessa de respirer, à peine consciente qu'ils poursuivaient une étrange conversation.

— Tu crois?

— J'en suis sûr.

Du bout de la langue, il taquinait le lobe de son oreille. Les doigts de Lacey s'agrippèrent aux larges épaules.

— J'essaierai de m'abstenir.

Cam entreprit de déboutonner les minuscules perles d'ivoire qui ornaient le devant de sa robe.

— T'abstenir de quoi?

— De trop penser.

Elle soupira, car les mains de Cam venaient de glisser sous la soie pour trouver la douceur de ses seins.

— Tu as bien raison. Une réflexion trop intense peut s'avérer dangereuse.

— C'est vrai.

Les doigts de Cam parcouraient son corps. Elle ferma

les yeux, attentive aux paumes rugueuses, sous lesquelles sa peau prenait une roseur délicate. Avec infiniment de douceur, il la déshabillait. Enfin, elle ne fut plus vêtue que d'un soutien-gorge de dentelle et du slip assorti.

Ils étaient amants depuis plusieurs semaines, maintenant. Certainement, il l'avait déjà vue nue, mais toujours dans la semi-pénombre de la chambre à coucher. Ainsi étendue sur le canapé, sous l'éclairage violent des lampes allumées, il semblait à Lacey qu'elle vivait une scène décadente. Décadente... et excitante.

La bouche de Cam taquinait la pointe de son sein, à travers la dentelle. Elle se cambra, comme pour exiger davantage de lui. S'écartant de la jeune femme, il plongea dans les larges prunelles vertes. Avec ses cheveux blonds épars, sa bouche rougie par ses baisers et son regard troublé, elle lui paraissait plus sensuelle qu'elle ne l'avait jamais été.

Au bout d'un long moment, il se redressa. Elle amorçait une protestation, lorsqu'elle vit qu'il arrachait ses propres vêtements avant de revenir vers elle. Fermant les yeux, elle sentit qu'il lui ôtait les derniers remparts qui les séparaient.

Enfin, il s'empara d'elle. Ce fut une explosion, un plaisir d'une telle intensité qu'elle perdit conscience de tout ce qui n'était pas Cam, son odeur, le poids de son corps sur le sien, l'extase de leur union. Très loin, elle l'entendit crier son nom, à l'instant même où elle pensait mourir de plaisir.

Ils demeurèrent un long moment sans parler, puis Cam s'écarta d'elle. Elle tenta de le retenir.

— Chérie, ce canapé n'est pas assez large pour nous deux.

— Je m'en moque!

— Moi non.

Il se mit debout et se pencha pour l'emporter dans ses bras. Lacey noua ses bras autour du cou de son mari et posa sa tête sur son épaule.

— Je n'ai même pas rangé la vaisselle sale.

Il rit doucement.

— J'espérais t'avoir distraite de cette occupation. Apparemment, je n'ai pas fait du bon travail.

— C'était merveilleux, je faisais juste une observation.

La serrant tendrement contre lui, il entra dans la chambre à coucher et la déposa sur le lit.

— Je suis certain de te faire oublier tes envies ménagères, si je dispose d'un peu plus de place et d'un peu plus de temps.

— Du temps? Tu as la vie devant toi.

S'agenouillant sur le lit, elle déposa une myriade de petits baisers sur la poitrine de Cam, maintenant étendu auprès d'elle.

Il grogna.

— Comment suis-je censé te montrer mes meilleures techniques, si tu me rends fou?

— Je suis désolée...

En fait, elle ne s'était jamais sentie aussi satisfaite d'elle-même, sûre de lui plaire, audacieuse pour la première fois de son existence. A son tour, elle entreprit une lente exploration du grand corps de son mari. Lorsqu'elle eut fait renaître son désir, elle leva vers lui des yeux brillants d'une excitation joyeuse.

— Que penses-tu de mes meilleures techniques?

Il enfonça ses longs doigts dans la chevelure blonde et tira la tête de Lacey en arrière afin de rencontrer son regard. Le cœur de la jeune femme se mit à battre la chamade. Les yeux bleus exprimaient une faim inassouvie. Jamais elle ne s'était sentie aussi féminine, aussi totalement désirable.

— J'ai l'intention de te montrer sur-le-champ ce que j'en pense.

La bouche de Cam se posa sur la sienne, étouffant toute ébauche de protestation s'il en était besoin. Mais Lacey ne protestait pas. Les paupières closes, elle s'abandonnait aux mains expertes de son mari. Ce soir-là, elle avait le sentiment qu'une vérité était à portée de main...

Pourtant, elle ne put la nommer.

12.

Le son de la télévision n'était pas particulièrement fort, pourtant il portait sur les nerfs de Lacey. Cam était assis dans un fauteuil, ses longues jambes étendues devant lui. Il ne semblait pas se soucier des traces laissées pas ses bottes sur le sol. Elle avait pourtant lavé le carrelage la veille.

De toute façon, ce détail échappait parfaitement à Cam. Lacey enfonça l'aiguille dans le tissu... et se piqua le doigt. Cet incident ne fit que renforcer son agacement.

— Oui !

L'exclamation de Cam la fit sursauter. La voix excitée du commentateur était couverte par les applaudissements. La jeune femme réprima l'envie de demander ce qui s'était passé. Elle n'était pas d'humeur à s'intéresser au base-ball.

Se penchant sur la chemise, elle fixa de nouveau son attention sur le bouton qu'elle devait recoudre. En ce dimanche après-midi, le soleil resplendissait, mais elle restait enfermée, penchée sur sa tâche. Certains jours, elle avait l'impression que Cam faisait exprès de perdre ses boutons de chemise.

Et quand elle ne reprisait pas ses vêtements, elle nettoyait sa maison et cuisinait ses repas. Dans les intervalles, elle menait sa boutique. Non qu'elle détestât les tâches ménagères, d'ailleurs. Ce qui la chagrinait, c'était que Cam ne paraissait pas apprécier ses efforts.

Il avait bien dit une fois ou deux que la maison reluisait. Il lui était même arrivé de la complimenter à propos d'un plat qu'elle avait mis deux heures à préparer pour qu'il soit dévoré en vingt minutes. En outre, il avait laissé entendre à plusieurs reprises qu'elle travaillait trop. Pourtant, il ne mesurait pas vraiment la qualité de son travail.

Peut-être les hommes étaient-ils incapables de comprendre ce qu'il fallait d'endurance pour supporter le poids de l'entretien d'une maison, mais il aurait au moins pu essayer !

Inconscient de la crise, Cam se tourna vers elle.

— Pourquoi ne regardes-tu pas le match avec moi ?

Elle ne leva même pas la tête de son ouvrage.

— Il n'y a pas de place pour moi.

— Tu peux t'asseoir sur mes genoux, ou bien nous pouvons placer le poste en face du canapé. Allez, chérie, tu n'as pas cessé de travailler depuis ce matin. Je suis fatigué, rien qu'à te regarder.

— Excuse-moi si je m'efforce de faire ce qu'il y a à faire !

Pliant nerveusement la chemise, elle se leva.

— Je vais aller ailleurs, pour que ma vue ne te gêne pas.

Les yeux de Cam s'élargirent. Il bondit sur ses pieds et la rejoignit au moment où elle quittait la pièce.

— Qu'est-ce qu'il y a ?

Lacey fixait sa poitrine, se refusant à lever les yeux vers lui. Le fait même qu'il posait cette question prouvait à quel point il n'avait rien compris.

— Rien du tout.

— Il est clair que quelque chose te ronge, alors dis-le !

Ce ton autoritaire ne fut pas pour la calmer.

— Je te répète que tout va bien.

— Cela t'ennuie que je regarde le match de base-ball ? Je t'ai proposé de sortir, mais tu as prétendu avoir trop à faire dans la maison. Je ne pensais pas que la télévision t'importunait.

— Elle ne m'importune pas.

— Ecoute, si nous sortions ? Il fait beau, nous pourrions pousser jusqu'à la mer.

— J'ai trop de travail.

Cam inspira profondément. Voyant ses poings se crisper, Lacey eut le sentiment qu'il était à bout de patience. Elle ne voyait vraiment pas ce qui pouvait causer un tel agacement.

— Laisse-le de côté, oublie-le. Je t'ai déjà dit que tu en fais trop.

Il dépassait les bornes ! Comment osait-il lui reprocher quoi que ce soit ? Est-ce qu'il s'imaginait qu'elle se complaisait à trimer comme une esclave ?

— Je me demande bien qui s'en chargera à ma place ! Il est clair que tes occupations te prennent tout ton temps !

D'un geste méprisant, elle désigna la télévision. Un silence pesant s'abattit sur la pièce, uniquement troublé par le crépitement des applaudissements. Franchissant rapidement la distance qui le séparait du poste, Cam coupa le son.

— Je ne veux surtout pas te déranger, poursuivit Lacey. C'est sans nul doute le match du siècle, loin de moi l'idée de t'en priver.

L'espace d'une seconde, elle songea qu'elle s'exprimait comme une harpie, mais cette pensée ne suffit pas à réprimer la rage qui s'était emparée d'elle.

Les bras croisés sur la poitrine, Cam recula de quelques pas.

— Et maintenant, tu vas me dire de quoi il s'agit.

Lacey froissa la chemise entre ses mains. Elle bouillait d'une colère accumulée depuis des semaines.

— Rien ! Il n'y a rien du tout.

— Tu veux rire ! Depuis plusieurs jours, tu évoques irrésistiblement Jeanne d'Arc partant au bûcher. J'ai espéré que cette humeur était passagère, mais il n'en est rien. Vas-tu enfin me dire ce qui te tourmente ?

— Jeanne d'Arc ? Tu veux dire que je prends des airs de martyre ?

— C'est une pensée qui m'a traversé l'esprit.

— Tu... Espèce de mâle imbu de lui-même !

Le qualificatif ne convenait absolument pas à Cam, mais c'était le seul qu'elle avait trouvé. Le fait qu'il ne semblait même pas piqué par l'insulte augmenta son ressentiment.

— Pourquoi ne pas dire ce que tu as sur le cœur, Lacey ? Tu en serais peut-être soulagée.

— Je ne me sentirai mieux que lorsque je serai assurée de ne plus jamais te voir. Tu es l'homme le plus inconscient, le plus égoïste que j'aie jamais rencontré. Tu ne t'es même pas aperçu des efforts que je faisais pour tenir ta maison propre. Mon dos est douloureux, mes ongles sont cassés. Je nettoie, je cuisine, je couds... Et pendant que je travaille comme une esclave, tu paresses devant ton poste de télévision. Tu...

— Qui t'a demandé de fournir un tel travail ?

— Qui m'a... ?

— Tu as bien entendu. Je n'ai jamais exigé que tu soulèves les montagnes. C'est toi qui ne cesses de t'agiter comme si le pape en personne allait nous rendre visite d'une minute à l'autre.

La discussion ne prenait pas le tour prévu par Lacey. Elle avait cru que Cam s'excuserait, qu'il apprécierait enfin le fruit de son labeur. En réalité, il semblait surtout en colère.

— Mais je...

— Mais rien. T'ai-je jamais dit de frotter le plancher pour qu'il reluise comme un miroir ? Ai-je jamais attendu de toi que tu te transformes en cordon-bleu, ou bien en Cendrillon ?

Se saisissant de sa chemise, il la jeta à l'autre bout de la pièce. Cette violence disait assez combien il était lui-même à bout de nerfs.

— Tu ne me l'as pas dit, mais il était évident que...

— C'est faux ! Lacey... Peut-être n'y as-tu jamais pensé, mais j'ai vécu seul pendant un certain nombre d'années. Je ne suis pourtant pas mort de faim, la maison n'a pas croulé sous des tonnes de poussière et mes chemises ont conservé leurs boutons. Je suis parfaitement susceptible de me prendre en charge. Au moins pouvions-nous partager les corvées.

— Que ne me l'as-tu proposé !

— Chaque fois que j'ai tenté de t'aider, tu as poussé de hauts cris. Quand j'ai voulu mettre une machine à laver en marche, tu t'es comportée comme si j'étais incapable d'appuyer sur un bouton. C'est à peine si j'ose mettre un pied dans la cuisine de peur d'éveiller ta frénésie de propreté. Que devais-je faire ? Me battre pour lessiver le carrelage ?

Elle le fixait, totalement désorientée par cette longue tirade. Etait-elle vraiment telle qu'il la décrivait ? Il devait exagérer. Pour être honnête, elle se souvenait maintenant avoir plusieurs fois repoussé ses offres d'aide.

— Je me suis peut-être montrée un peu excessive, murmura-t-elle. Je voulais simplement que tout soit parfait.

— Reviens à la réalité, Lacey. Personne n'a besoin d'une maison constamment impeccable, de repas soignés tous les soirs.

— Pourquoi ne pas me l'avoir dit plus tôt ?

— J'ai essayé, mais tu ne semblais pas comprendre et je ne voulais pas te harceler. Je pensais que peut-être tu aimais vraiment t'absorber dans les tâches ménagères.

— J'espérais imiter l'exemple de ma mère. Elle n'aurait pas oublié de mettre ses chapons dans le four, je puis te l'assurer.

— As-tu jamais songé qu'elle n'avait pas d'autre occupation que de tenir sa maison ? D'ailleurs, si j'ai bien compris, elle avait une bonne. Je doute que ta mère se soit jamais cassé les ongles à nettoyer son carrelage.

Lacey hocha la tête. C'était stupide, pourtant elle n'y avait jamais pensé. Lorsqu'elle évoquait l'intérieur raffiné de Mme Newton, elle était envahie par un sentiment d'infériorité. Et ces dernières semaines l'avaient confirmée dans la certitude de son incompétence. La réception, le ménage, la cuisine... Tout cela l'avait épuisée, la persuadant qu'elle ne possédait rien des qualités qui caractérisaient sa mère.

Soudain, elle réalisait que cette dernière n'avait pas tenu tous les rôles à la fois. Et c'était une pensée révolutionnaire.

— Peut-être as-tu raison.

— Bien sûr que oui. Ne sais-tu pas que j'ai toujours raison?

Il s'approcha de la jeune femme et la serra contre lui. Elle esquissa un faible sourire.

— Pas vraiment.

— C'est un tort. A nous deux, nous devons tenir cette maison raisonnablement propre, tu ne crois pas?

— Je suis désolée de t'avoir empêché de regarder ton match.

— Ce n'est rien. Nous allons regarder la fin ensemble.

— Mais je dois...

— Tu dois te détendre. Rien ne presse, je suppose?

— Non...

Lacey se laissa entraîner vers le canapé. Elle avait eu l'intention de faire du pain. Mais c'était du temps de l'ancienne Lacey, celle qui voulait tout assumer elle-même. Celle-là était morte et enterrée...

C'était plus facile à dire qu'à faire.

Si quelqu'un lui avait annoncé qu'elle aurait du mal à

réduire ses activités, elle ne l'aurait pas cru. Il s'avéra pourtant que l'oisiveté la mettait mal à l'aise.

La première fois qu'elle découvrit en rentrant à la maison que Cam avait préparé le repas, elle put à peine avaler une bouchée. Le jour où il envoya le linge à la blanchisserie, ainsi qu'il l'avait toujours fait, elle espéra presque qu'il revînt en lambeaux.

C'était ridicule, pourtant chaque fois qu'on la déchargeait d'une tâche, elle ne pouvait lutter contre un sentiment d'échec. C'était une chose de reconnaître que sa mère avait eu une bonne, et une autre de renoncer à des automatismes installés de longue date. Pendant toute son enfance, sa mère avait monopolisé son attention, peut-être parce qu'elle n'avait pas eu de père. Mme Newton était devenue son modèle, un but inacessible.

La logique n'avait rien à voir là-dedans, Lacey croyait avoir failli chaque fois qu'elle échouait là où sa mère aurait selon elle réussi. Au fond, elle demeurait persuadée que Mme Newton serait parvenue à gérer sa boutique tout en tenant impeccablement sa maison.

Elle ne pouvait même pas en vouloir à Cam de ne pas comprendre. Il était merveilleux, trop, sans doute. Le fait qu'il semblait n'avoir aucun défaut la confirmait dans le sentiment de sa propre imperfection.

Lacey reposa la fine camisole qu'elle était en train de plier pour contempler dans le miroir le reflet de la boutique. D'ordinaire, l'élégance simple du décor qu'elle avait choisi suffisait à la dérider. Mais pas aujourd'hui.

— Seigneur! Tu sembles aussi gaie que moi.

Lacey sursauta.

— Lisa! Que fais-tu par ici?

— Je pensais que nous pourrions déjeuner ensemble.

— Tu veux dire que tu viens tout droit de Los Angeles pour déjeuner avec moi?

Lisa haussa les épaules.

— Nous ne nous sommes pas vues depuis longtemps. J'arrive au mauvais moment?

Lacey remarqua les cernes noirs qui soulignaient les yeux de son amie, la façon dont elle évitait de la regarder en face.

— Bien sûr que non! Margaret peut s'occuper du magasin.

Quand bien même Margaret aurait été absente, elle aurait fermé les Frivolines de Lacey pour venir en aide à Lisa, qui avait visiblement besoin de parler. Mais puisque son employée était là, la question ne se posait même pas.

Un peu plus tard, elles pénétraient dans un petit restaurant situé à une centaine de mètres de la boutique. Dès qu'elles furent installées, Lacey aborda le problème de front.

— Que se passe-t-il?

— C'est si évident que cela?

— Pour moi, oui. Mais je te connais depuis longtemps.

— Oui. Je n'avais pas encore rencontré Franck.

Lacey trouva cette remarque étrange.

— Nous étions amies bien avant, en effet.

— Eh bien, il semble que tu doives le rester après lui.

La voix de Lisa s'était brisée sur les derniers mots. Lacey retint sa respiration.

— Franck et toi avez des ennuis?

Cette éventualité était inconcevable. Franck et Lisa avaient toujours constitué à ses yeux comme à ceux des autres un couple modèle.

— Non. Du moins, nous n'en avons plus. Il est parti la semaine dernière et nous entamons la procédure de divorce.

L'espace d'un instant, le monde s'arrêta de tourner.

— Mais c'est impossible! Franck et toi, vous vous aimez, tout le monde le sait.

Lisa émit un rire douloureux.

— Disons qu'on a oublié de le rappeler à Franck.

Autour d'elles, les clients bavardaient dans un cliquetis de verres et d'assiettes. Il parut soudain à Lacey que Lisa et elle se trouvaient sur une autre planète.

— Que s'est-il passé?

— Je n'en sais rien moi-même.

— Il y a une autre femme?

Lacey se reprocha presque aussitôt d'avoir posé cette question. Heureusement, Lisa ne sembla pas s'en formaliser.

— Non... Si c'était le cas, je me sentirais peut-être un peu moins en situation d'échec.

Lacey posa sa main sur celle de son amie, le cœur serré par cette souffrance qui se dévoilait.

— Ne sois pas stupide, Lisa. En mariage, on est toujours deux, que ce soit pour réussir ou pour échouer.

— Voyez-vous ça! Quelle expérience!

Le visage de Lacey s'assombrit.

— Excuse-moi, je ne voulais pas te faire un sermon.

— Oh! Je suis désolée, Lace. J'ai envie de mordre la terre entière, mais pas toi! Tu ne m'en veux pas? Je t'en prie!

Lacey hésita à peine quelques secondes.

— Ce n'est rien. Tu ne veux pas me dire ce qui est arrivé?

Les yeux dans le vide, Lisa grignotait une feuille de salade.

— Je l'ignore moi-même. Sans doute n'ai-je pas été assez observatrice. J'étais trop occupée, trop absorbée par ma carrière. Maintenant, j'aurai tout le temps de m'y consacrer.

— Mais enfin, il ne s'est pas contenté de t'annoncer son départ? Il a bien dû t'en fournir la raison?

— Il a dit que nous ne semblions plus avoir besoin l'un de l'autre, que je poursuivrais tout aussi bien mon chemin sans lui. Tu te souviens qu'il m'avait demandé de moins travailler... parce qu'il voulait avoir des enfants?

— Oui.

— Je lui avais promis que nous en parlerions quand j'aurais terminé le projet que j'étais en train d'étudier.

— Tu as tenu parole?

— Non. Un autre projet a été mis en chantier et j'ai préféré supposer que Franck avait oublié ma promesse.

— Explique-lui que tu ne voulais pas le faire attendre indéfiniment.

Une larme coula le long de la joue de Lisa.

— Oh, Lacey, je ne crois pas qu'il veuille m'écouter. Si tu avais vu la façon dont il me regardait... Il n'était même pas fâché contre moi, c'était comme s'il m'avait connue il y a très longtemps. J'ai essayé de lui parler, je l'ai supplié. Il m'a dit qu'il était trop tard et que cette conversation n'avait plus aucun sens... Mais j'ai besoin de lui, même si je ne le lui ai pas assez montré. Je ne sais pas comment je pourrai vivre sans lui... Ne tombe pas amoureuse, Lace, même pas de Cam. Ça fait trop mal quand tout est fini.

Lisa s'interrompit, la voix brisée par les sanglots. Pendant quelques instants, elle s'efforça d'étouffer ses pleurs dans son mouchoir. Lacey fixait la nappe, prise d'une panique irrésistible. Ce n'était pas possible! Pas Lisa et Franck. Ils s'étaient tant aimés... Si leur mariage ne tenait pas, aucune union ne le pourrait, et surtout pas la sienne, établie sur des bases si fragiles.

Quand Lisa se fut calmée, elle tenta de la réconforter tant bien que mal. Les yeux rouges, elles se quittèrent un peu plus tard devant la boutique. Il y avait un ou deux clients, mais Lacey les abandonna aux soins de Margaret pour s'enfermer dans son bureau.

Elle resta longtemps derrière sa table, les yeux perdus dans le vague. Lisa et Franck avaient eu besoin l'un de l'autre, ainsi que le rappelait Franck, pourtant cela ne suffisait pas à préserver leur union. Ce besoin mutuel, Cam et elle ne l'avaient même pas eu en partage. Ils avaient vécu longtemps l'un sans l'autre... En fait, l'expérience prouvait qu'ils pouvaient se débrouiller seuls, chacun de leur côté.

— Lacey?

La voix de Margaret arracha la jeune femme à ses pensées.

— Oui?

— Maud Higgins est là. Vous lui avez dit que nous allions acquérir de nouveaux foulards de soie et elle voudrait les voir.

— Ils ne sont pas encore arrivés.

— C'est ce que je lui ai répondu, mais elle ne semble pas me croire.

Margaret leva les yeux au ciel et Lacey soupira à l'idée d'affronter une cliente névrosée. Mais Mme Higgins était une habituée à la fois riche et fidèle, qu'elle devait ménager. Ses préoccupations personnelles passaient au second plan.

Quand elle eut convaincu Maud Higgins qu'elle la préviendrait personnellement quand les foulards seraient livrés, Lacey se sentit mieux. Au moins, elle avait réussi à écarter les sombres pensées laissées par le passage de Lisa.

Malheureusement, elles l'assaillirent de nouveau sur le chemin de la maison... La maison de Cam, rectifia-t-elle comme pour se persuader qu'elle ne serait jamais la sienne. Le camion de Cam n'était pas dans l'allée. Elle se souvint qu'il devait livrer un bureau à Santa Monica.

Devait-elle se réjouir de cette absence? Cela lui laisserait le temps de réfléchir. Une petite voix lui suggéra qu'elle réagissait de façon excessive aux propos de Lisa. La faillite de ce mariage ne signifiait pas nécessairement que le sien courait à l'échec.

Si Cam avait été là, il l'aurait peut-être persuadée qu'ils

allaient réussir là où leurs amis avaient échoué. Quand il l'affirmait, tout paraissait possible. Mais il n'était pas là!

Mue par une impulsion subite, Lacey se précipita dans la maison. Elle savait maintenant qu'elle devait mettre fin à cette parodie avant qu'il fût trop tard. Heureusement, Cam et elle n'étaient pas tombés amoureux l'un de l'autre, ils souffriraient moins de la séparation.

Sous les yeux étonnés de Derwent, elle entra dans la chambre à coucher et prit sa valise en haut de l'armoire. Après l'avoir posée sur le lit, elle ouvrit la penderie. La vue des chemises de Cam, pendues auprès de ses robes, faillit ruiner sa résolution. Les dents serrées, elle se hâta de décrocher les cintres et se mit à plier sommairement ses vêtements avant de les entasser dans la valise. Il fallait qu'elle fût partie avant le retour de Cam! C'était sans doute de la lâcheté, mais elle ne voulait pas entendre ses arguments. Elle avait pris sa décision, il n'y avait plus qu'à l'exécuter...

— Que fais-tu?

Lacey sursauta. Sur le seuil de la pièce, Cam fixait sur elle des yeux surpris.

13.

Immobile, Lacey regardait Cam sans pouvoir prononcer un mot. Il la contempla un long moment, les sourcils froncés.

— Pourquoi fais-tu ta valise? demanda-t-il enfin.

La jeune femme soupira. Quelques minutes de plus et elle serait partie sans le revoir. Elle allait devoir l'affronter... Mais comment expliquer à un homme qu'on le quitte?

— Je m'en vais.

Il semblait n'avoir pas saisi la portée de ces mots.

— Tu t'en vas? Tu veux dire... pour de bon?

— Pour de bon.

Cam passa ses doigts dans ses cheveux châtains. Il paraissait abasourdi.

— Pourquoi?

C'était la question qu'elle attendait et redoutait à la fois. Au plus profond d'elle-même, elle était certaine d'avoir raison, pourtant elle se sentait incapable de justifier son point de vue.

— J'ai vu Lisa, aujourd'hui.

— Fort bien. Qu'est-ce que Lisa a à voir avec ton départ?

— Franck et elle se sont séparés. Ils vont divorcer.

— J'en suis navré car ils semblaient s'entendre. Cela ne me dit pas pourquoi tu t'en vas.

— Tu ne vois pas ce que cela implique?

— En aucune manière.

— Lisa et Franck étaient faits l'un pour l'autre. Ils sont tombés amoureux au premier coup d'œil, tu le savais?

— Non, mais...

— Ils se sont mariés avant même que Lisa ait terminé ses études. Jamais je n'ai vu de couple aussi épris, jamais. Et maintenant, ils se déchirent. Tu ne comprends toujours pas?

— Je commence à entrevoir où tu veux en venir, mais je tiens à m'en assurer. Continue.

— Cam, Franck et Lisa avaient tout pour réussir, pourtant ils n'y sont pas parvenus. Comment pourrions-nous faire mieux, quand tout est contre nous dès le départ?

Elle leva vers Cam un visage suppliant, mais les yeux bleus ne recelaient pas une once d'indulgence.

— Est-ce que tu es en train de me dire que tu me quittes parce que Franck et Lisa n'ont pas pu rester ensemble?

— Non! A cause de ce que cette rupture signifie.

— Elle signifie qu'ils ont des problèmes. Cela n'a absolument rien à voir avec nous.

— Si, Cam. Ils s'aimaient passionnément.

— Et alors?

— Ce n'était pas assez. Et nous ne pouvons même pas en dire autant. Tout ce que nous avons à notre disposition, c'est un bout de papier que nous ne nous souvenons même pas avoir signé, et ce pari insensé que nous pouvons faire quelque chose avec rien. Je m'en vais avant que nous ne soyons trop meurtris l'un par l'autre.

Elle ferma sa valise, mais avant qu'elle pût la soulever,

la main de Cam s'abattit avec force sur la poignée, la contraignant à lâcher prise. Effrayée, elle lut dans ses yeux une fureur à peine contenue.

— C'est le plus stupide argument que j'aie jamais entendu dans ma vie. Je pourrais tout aussi bien prétendre que puisque Franck et Lisa s'aimaient, leur séparation prouve que ce n'est pas un bon point de départ pour se marier.

Lacey ferma son esprit à la logique de ce raisonnement. C'était justement parce que Cam pouvait se montrer si persuasif qu'elle s'était laissé entraîner dans cette situation.

— Cam, si tu es honnête, tu admettras que ce pari était fou. On ne se marie pas avec quelqu'un qu'on ne connaît pas.

— Tout ce que je sais, c'est que depuis deux mois nous avons fait un bon bout de chemin. Ne pars pas, Lacey.

— Cela dégénérera tôt ou tard, crois-moi.

— Non!

Une seconde fois, la paume de Cam frappa la valise avec violence, puis il se leva d'un bond et tourna le dos à Lacey. A travers le T-shirt, elle vit les muscles puissants se contracter.

— Pardonne-moi, Cam, je ne voulais pas te blesser.

— Selon toi, je devrais comprendre pourquoi tu agis ainsi, mais je ne comprends pas. Je ne suis même pas sûr que tu le saches toi-même.

Comme il lui faisait face, Lacey battit des paupières sous le regard étincelant de colère.

— Je ne veux pas que nous souffrions, et c'est inévitable si nous poursuivons cette expérience.

— Je te remercie pour ta sollicitude.

Lacey redressa le menton. Rien ne la détournerait de sa décision.

— J'agis selon ma conscience.

— Tu veux dire selon ta couardise ! Tu as peur d'être blessée, aussi tu ne prends aucun risque. Appelle les choses par leur nom.

— Pense ce que tu veux.

— Tu veux connaître le fond de ma pensée, justement ? Tu es lâche, Lacey. Quand je t'ai rencontrée, j'ai admiré ton courage parce que tu relevais les défis. Je me trompais. Tu préfères vivre dans du coton plutôt que de saisir ta chance. Oh ! Tu es hardie en affaires. Mais qu'as-tu à perdre ? L'argent peut être récupéré. En revanche, tu te dérobes dès qu'il s'agit de sentiments. Tu es tombée amoureuse de moi, mais tu as peur ! Alors, tu préfères t'enfuir. Eh bien, va-t'en, Lacey, je ne te retiendrai pas. J'ai suffisamment combattu pour que tu comprennes ce que nous pouvions conquérir ensemble. Cours ! Enferme-toi dans ton petit monde douillet. J'espère que tu y seras heureuse... Seule.

Cam tourna les talons et sortit de la chambre. Quelques secondes plus tard, Lacey entendit un grondement de moteur. Les jambes tremblantes, elle s'assit au bord du lit. Jamais elle n'avait vu Cam aussi en colère, aussi blessé.

Pourtant, elle était certaine d'avoir raison. Du moins, elle voulait l'être...

Dès qu'elle eut chargé ses bagages dans sa voiture, Lacey se demanda où elle irait. Elle était restée locataire de son ancien appartement. Il était froid et vide, mais que pouvait-elle espérer de mieux ?

La nuit était tombée lorsqu'elle se gara devant la maison où elle avait grandi. Les fenêtres éclairées semblaient l'accueillir avec amitié. La jeune femme appuya sur la sonnette et attendit en frissonnant que sa mère vînt lui ouvrir. Elle comptait lui demander de l'héberger pour la nuit. Demain, elle retournerait chez elle, mais ce soir elle ne se sentait pas le courage d'affronter la solitude. Elle lui dirait calmement qu'elle avait quitté Cam et qu'elle ne désirait pas en parler. Après tout, elle était une adulte, maintenant, elle n'éprouvait plus le besoin de confier à sa mère les secrets de sa vie privée.

Il y eut un bruit de talons, puis Mme Newton parut sur le seuil.

— Chérie ! Mais que fais-tu ici ? Cameron n'est pas avec toi ?

— Maman…

Les yeux pleins de larmes, Lacey ne put en dire davantage.

— Lacey chérie, que se passe-t-il ?

Mme Newton attira sa fille à l'intérieur. La jeune femme retrouva le monde de son enfance, un monde dans lequel sa mère pouvait tout arranger.

— Est-ce que je peux rester ici cette nuit ?

Malgré ses efforts, sa voix s'était brisée. Elle mit sa main devant sa bouche pour réprimer les sanglots qui menaçaient d'éclater.

— Tu sais bien que tu es ici chez toi, ma chérie. Comme tu es pâle ! Entre dans la salle de séjour, je vais te donner un verre de bourbon pour mettre un peu de couleur sur tes joues.

Assise sur le canapé, la jeune femme regarda sa mère remplir un petit verre du liquide ambré. Elle l'accepta machinalement.

— Bois, tu te sentiras mieux ensuite.

Lacey obéit avec docilité. L'alcool lui brûla la gorge, lui faisant monter les larmes aux yeux. Sa mère lui tapotait le dos, ses fins sourcils froncés par l'inquiétude.

— Voilà ! Rien de mieux qu'une goutte de ce remède pour vous réconforter. Tu veux me dire ce qui ne va pas, ma chérie ?

— Je... J'ai quitté Cam.

— Oh! Pourquoi, Lacey chérie?

— Parce que ce n'était pas un vrai mariage.

La tête lui tournait. Elle se rappela soudain qu'elle n'avait rien avalé depuis le petit déjeuner.

— Pas un vrai mariage? Vous sembliez si heureux, toi et Cameron! Vous vous êtes disputés?

— Non. Du moins, pas avant que je lui aie annoncé mon intention de le quitter. Oh, maman, j'ai été si stupide!

— Raconte-moi tout depuis le début et nous verrons ce que nous pouvons faire. Tout problème a sa solution, Lacey. Dis-moi ce qui ne va pas.

Lacey avait depuis longtemps passé l'âge où elle croyait que sa mère avait le pouvoir de résoudre tous ses ennuis, pourtant l'enfant qui restait en elle souhaitait de toutes ses forces qu'on pût la sortir de la situation désastreuse où elle s'était mise.

— C'était perdu d'avance, maman. Notre mariage aurait peut-être pu réussir, s'il avait commencé autrement.

Prenant son courage à deux mains, elle fit à sa mère un compte rendu exact des événements. L'histoire paraissait encore plus bizarre, racontée dans la maison paisible où elle avait grandi. Le voyage à Las Vegas, le réveil aux côtés de Cam... On aurait dit un mauvais film.

Le plus dur fut d'expliquer pourquoi ils avaient tenté un essai. C'était tellement absurde! Et le fait que l'entreprise avait failli réussir ne la rendait pas plus raisonnable.

Lorsqu'elle en vint à son départ et à la réaction de Cam, Lacey fondit en larmes. Mme Newton la prit dans ses bras pour la serrer contre elle. La jeune femme enfouit son visage contre l'épaule maternelle comme lorsqu'elle était petite. Elle pleura jusqu'à en perdre le souffle, bercée par sa mère qui lui murmurait des mots tendres et sans suite.

Quand les sanglots se muèrent en soupirs entrecoupés, Mme Newton suggéra :

— Nous n'allons pas discuter de tout cela ce soir. Tu vas te rafraîchir dans la salle de bains et aller au lit.

— Je ne pourrai pas dormir.

— Bien sûr que si ! Demain matin, nous parlerons.

— Il n'y a rien à dire. J'ai quitté Cam, voilà tout !

Elle s'exprimait de façon puérile et le savait. Sa mère sourit.

— Nous verrons. Maintenant, je veux que tu prennes une bonne douche pendant que je prépare ta chambre.

Il était plus facile d'obéir que de prendre une décision personnelle. Lacey demeura un long moment sous la douche, l'esprit absolument vide. Lorsqu'elle pénétra dans sa chambre de jeune fille, les larmes lui montèrent de nouveau aux yeux. C'était là qu'elle avait joué à la poupée, étudié et conçu les premiers plans de sa boutique. Dans cette pièce remplie de souvenirs, il lui semblait être en sécurité.

En dépit de ses affirmations, elle s'endormit sitôt couchée pour ne s'éveiller qu'au matin. Dehors, le soleil brillait de tous ses feux. Malgré ce long sommeil, elle se sentait fatiguée. Sans doute faudrait-il davantage qu'une nuit de repos pour retrouver la forme.

Le jeudi, elle avait pris l'habitude de n'ouvrir la boutique que l'après-midi, aussi disposait-elle de quelques heures de détente. Elle en avait besoin, songeat-elle en rejoignant sa mère dans la cuisine.

Mme Newton leva les yeux vers sa fille. Assise devant la table, elle portait un chemisier jaune pâle et un pantalon gris bien coupé. Lacey eut honte de son blue-jean délavé et de son T-shirt.

— Je t'ai laissé du café, tu sembles en avoir besoin.

La jeune femme refusa d'un signe de tête. La simple odeur de café lui donnait la nausée. S'étant rempli un verre de lait, elle prit place en face de sa mère.

Celle-ci l'observait avec une sollicitude toute maternelle.

— Comment as-tu dormi ?

— Bien.

— Parfois, une goutte de bourbon peut faire des merveilles.

Gênée, Lacey s'agita sur son siège.

— Je suis désolée de m'être livrée à une telle comédie...

— Ne sois pas sotte, ma chérie, je suis là pour ça. Tu es prête à en parler ?

Lacey fut prise d'une soudaine panique. Elle ne voulait parler de rien du tout. Elle avait pris sa décision et agi en conséquence. Mais elle reconnaissait cette lueur, dans les yeux de sa mère. Rien ne la ferait renoncer à cette discussion, pas même une explosion nucléaire.

— Il faut que j'aille travailler, maman.

— Tu n'ouvres pas avant une heure de l'après-midi, cela nous laisse le temps de bavarder avant que tu t'habilles.

— Nous avons eu une livraison, hier. Je dois mettre mes registres à jour.

— N'oublie pas que nous nous connaissons depuis longtemps, ma chérie. Reste assise et écoute-moi.

— Très bien, maman, que veux-tu me dire ?

— C'est très simple. Cameron a eu absolument raison de te traiter de lâche. Tu te comportes comme un misérable petit lapin effrayé, et je crois que tu le sais.

Lacey se drapa dans sa dignité outragée.

— Pas le moins du monde. Dès l'instant où j'ai réalisé l'inanité de ce mariage, je devais y mettre un terme.

— Qui a parlé d'inanité ?

— Voyons, maman, nous nous connaissons à peine, lui et moi. La façon dont nous nous sommes mariés est grotesque, comment pourrions-nous fonder quoi que ce soit sur ces bases?

— Ce ne sont pas des raisons valables. Vous pouviez apprendre à vous apprécier après le mariage. Penses-tu que si tu avais rencontré Cameron il y a plusieurs années, tes doutes en auraient été allégés? Quant à la façon dont tout a commencé, je ne vois pas où est le problème. Pense à l'histoire merveilleuse que tu pourras raconter à vos enfants!

— Cette question ne se posera pas puisque nous n'en aurons pas.

Mme Newton négligea l'interruption.

— Avant tout, tu crains la souffrance, c'est pourquoi tu as peur d'aimer. Mais ma chérie, tout le monde en est au même point.

Lacey fixait la table. De toutes ses forces, elle tentait de fermer ses oreilles aux arguments de Mme Newton.

— Ce n'est pas la même chose quand on a été fiancé longtemps. On a moins peur d'être blessé.

— C'est faux, ma chérie. L'amour comporte toujours des risques. La durée n'est pas une garantie contre la douleur. Tu crois que ton père et moi n'avons pas eu notre part de soucis?

Lacey eut un geste d'impatience.

— Bien sûr que non! Je ne suis pas naïve à ce point. Malgré tout, tu savais que tu l'aimais et qu'il t'aimait.

Mme Newton porta son bol à ses lèvres, les yeux perdus au loin.

— Tu sais, je me demande parfois si je n'aurais pas dû me remarier. Tu n'as jamais eu l'occasion de voir ce qui fait qu'une union est réussie ou non. Mais il s'est trouvé qu'après la mort de ton père, je n'ai rencontré personne avec qui j'ai envie de passer ma vie.

— Je sais que tu l'aimais beaucoup.

— C'était réciproque, pourtant nous nous sommes parfois disputés sous des prétextes futiles... Une fois, j'ai failli le quitter. Je ne te l'avais jamais dit.

— Non.

Lacey posa sur sa mère des yeux stupéfaits. Elle avait toujours cru que l'union de ses parents était idyllique, peut-être parce qu'elle n'en avait aucun souvenir.

— Que s'était-il passé?

— J'ai pensé qu'il avait une liaison.

— C'était vrai?

Mme Newton hésita.

— Je ne le pense pas. Ou du moins, j'ai décidé d'écarter cette éventualité.

— Mais, s'il t'avait trompée... Comment as-tu pu lui pardonner?

— Je n'en étais pas certaine. Quoi qu'il en soit, je l'aimais assez pour préserver notre mariage. Comme je te l'ai dit, ma chérie, nous nous heurtions de temps à autre. Et il y avait cette jeune femme qui travaillait pour lui. Quand je lui ai lancé cette accusation au visage, il n'a pas bronché et m'a seulement dit de croire ce que je voulais, qu'il n'avait pas l'intention de discuter. L'alternative était claire : ou bien je retournais en Georgie, ou bien je lui faisais confiance et je restais... Je suis restée.

— Cette histoire n'a pas gâché vos relations?

Mme Newton rit doucement.

— Pas trop, apparemment, puisque tu es née un an plus tard. Nous nous disputions toujours, mais nous avions appris tous les deux à quel point nous tenions l'un à l'autre.

Lacey hocha la tête.

— Je ne vois pas le rapport avec Cam et moi. Tu ne fais que confirmer mon point de vue : vous vous étiez aimés avant le mariage, et pourtant vous avez failli vous séparer. J'en conclus qu'un mariage sans amour a encore moins de chances de tenir.

Quelques jours plus tard, Lacey souffrait d'un violent mal de gorge lié selon elle à l'épreuve douloureuse qu'elle venait de traverser. En attendant de voir le médecin, elle se gava de vitamines.

Malheureusement, celles-ci n'eurent aucun effet sur sa dépression. Elle n'avait eu aucune nouvelle de Cam. Visiblement, elle l'avait convaincu de l'inanité de tout effort pour la persuader de revenir. Elle en était ravie, vraiment ravie.

Evidemment, cela n'expliquait pas pourquoi elle sursautait chaque fois que le téléphone sonnait. Elle n'attendait aucun appel en particulier, c'était simplement qu'elle était un peu tendue, ces derniers temps. Rien de plus.

Au bout d'une semaine, elle ne tressaillait plus quand quelqu'un entrait dans la boutique. Il était clair que Cam n'avait pas l'intention de la contacter. C'était exactement ce qu'elle voulait.

En fin de matinée, Mme Newton fit son apparition.

— Maman ! Tu ne m'as pas prévenue que tu venais en ville. Tu veux que nous déjeunions ensemble ?

A sa grande surprise, les joues de sa mère se teintèrent de rose.

— Eh bien... Je suis prise à déjeuner. Je voulais savoir si tu aurais un foulard assorti à cet ensemble.

Lacey examina le tailleur de sa mère. Comme tout ce qu'elle portait, il semblait avoir été coupé pour elle, ce qui était probablement le cas.

— Je pense avoir quelque chose qui te conviendra.

La jeune femme fouilla dans un étalage et en sortit une écharpe de soie.

— Mais tu sais, cet ensemble ivoire n'a nul besoin d'être rehaussé.

— Je veux que ma tenue soit parfaite dans les moindres détails.

Lacey observa sa mère avec attention. Pour la première fois en huit jours, elle était distraite de ses propres chagrins.

— Avec qui as-tu rendez-vous?

— Eh bien... Avec quelqu'un qui a pris une certaine importance dans ma vie.

— Vraiment? Je le connais?

— C'est-à-dire...

La porte de la boutique s'ouvrit une seconde fois et Jimbo parut sur le seuil, son corps massif engoncé dans un costume bleu. Lacey le fixa avec étonnement. Jimbo ne portait jamais de complet veston... à moins qu'il ne rencontrât un client important. Et si tel était le cas, que faisait-il là?

Les yeux de Jimbo étincelèrent à la vue de Mme Newton. Son visage s'éclaira comme s'il entrevoyait un coin de paradis. Le quittant du regard, Lacey se tourna vers sa mère. Cette dernière avait une expression qu'elle ne lui avait jamais vue, un mélange de plaisir timide et de coquetterie.

Lacey lui lança un regard incrédule.

— Jimbo?

Mme Newton redressa le menton avec une sorte de défi.

— C'est un homme très sympathique.

— Bien sûr, mais...

Elle ne termina pas sa phrase, car Jimbo s'était approché d'elles et serrait la main fine de sa mère dans sa large paume. Ils échangèrent un regard d'une infinie douceur. L'espace d'une seconde, Lacey se sentit très vieille, comme si sa mère et elle avaient échangé leurs rôles.

— Millie, vous êtes exquise, comme toujours.
— Merci, James, vous êtes vous-même très séduisant.
Au grand amusement de Lacey, Jimbo rougit.
— Bonjour, Jimbo!
Elle avait le sentiment qu'ils avaient oublié sa présence. Au prix d'un visible effort, Jimbo s'arracha à la contemplation de Mme Newton. Il regarda froidement la jeune femme.
— Bonjour, Lacey. J'espère que tu sais à quel point tu es stupide.
Lacey ignora délibérément l'allusion.
— Je suis contente de te voir. Tu vas bien?
C'était mal connaître Jimbo, dont la qualité principale n'était pas la subtilité.
— Est-ce que tu réalises le gâchis que tu as causé par ton départ? Cam est dans un triste état, tu ne vaux guère mieux, et tout cela pour rien.
Ainsi, Cam était malheureux sans elle. Le cœur de Lacey battit plus vite, pourtant elle conserva un maintien impassible.
— C'est Cam qui t'a chargé de me dire cela?
— Penses-tu! Il est fermé comme une huître. Il m'a seulement annoncé votre séparation et m'a conseillé de me mêler de mes affaires.
— Je vois que tu suis ses avis à la lettre.
— Je ne compte pas me taire quand mes deux meilleurs amis commettent la pire bêtise de leur vie.
— Cam et moi savons ce que nous faisons.
Jimbo émit un rugissement de rage.
— Bon sang! Vous n'avez ni l'un ni l'autre une once de bon sens. Sinon tu ne te cacherais pas dans ta boutique pendant que Cam se morfond dans son atelier.
Mme Newton posa une main fine sur la manche de son cavalier.
— Jimbo, je ne suis pas sûre que nous ayons le droit

de nous en mêler. Après tout, Cam et Lacey sont des adultes.

— Même un aveugle s'apercevrait qu'ils sont fous l'un de l'autre.

Lacey les poussa vers la porte.

— Vous n'allez pas être en retard à votre déjeuner?

La poitrine de Jimbo parut se gonfler de colère, puis il poussa un long soupir exaspéré.

— J'abandonne! Je suppose que le code civil permet à tout un chacun de se comporter en imbécile.

— Merci.

Lacey regarda sa mère et Jimbo sortir de la boutique. Ils formaient un couple presque incongru, lui si massif, elle si fine et élégante. Pourtant, Lacey ne se souvenait pas d'avoir vu sa mère aussi heureuse depuis bien longtemps.

Comme elle se détournait, le monde vacilla et elle dut se rattraper à un étalage. C'était la faute de Jimbo! Pourquoi avait-il ainsi éveillé le passé?

14.

Lacey avait réussi à oublier les propos de Jimbo pendant plusieurs heures. Assise dans la salle d'attente du médecin, elle se surprit en train de feuilleter un magazine sans le lire.

Fous l'un de l'autre... Cam est dans un triste état... Ces phrases s'imposaient à elle, l'empêchant de déchiffrer les lettres qui dansaient devant ses yeux.

Etait-elle amoureuse de Cam ? Si cela avait été le cas, elle en aurait été la première informée. Non ! Elle ne l'aimait pas, pourtant il lui manquait.

Cette constatation l'étonna. Mais après tout, il n'y avait rien de surprenant à cela. Cam était sympathique, il lui plaisait. Il y avait loin de cette attirance au véritable amour. Pour être honnête, la maison et le chien lui manquaient aussi.

D'un geste agacé, elle ferma le journal. Ce n'était pas une raison pour rester mariée, même s'il lui manquait tellement qu'elle avait l'impression d'avoir perdu une part d'elle-même.

Elle en était à ce point de ses réflexions quand l'infirmière l'appela.

Le Dr Riteman l'observait par-dessus ses lunettes.

— Vous avez en effet une gorge très enflammée. Cela ne vous était pas arrivé depuis très longtemps, je crois?

— Pas depuis plusieurs années, en effet.

Le médecin étudiait son dossier, les sourcils froncés.

— Je vois que vous êtes mariée depuis peu. Félicitations.

— Merci.

Lacey se demanda ce qu'il dirait si elle lui apprenait qu'elle n'allait pas tarder à divorcer. Le Dr Riteman griffonnait quelques notes.

— Je vais vous prescrire des antibiotiques. Vous n'êtes pas enceinte?

— Non, je...

La gorge soudain serrée, Lacey s'interrompit brusquement. Cette question de routine l'avait prise au dépourvu, pourtant le médecin la lui posait depuis qu'elle était âgée de seize ans. La tête lui tourna. Ce n'était pas possible...

— Non, répéta-t-elle.

Le regard bleu l'examinait avec attention.

— Vous en êtes bien sûre, Lacey? Parce que en cas de doute, nous ne devons pas mettre en danger le futur bébé.

Les yeux de Lacey s'emplirent de larmes.

— Je ne pense pas attendre d'enfant, fit-elle sans conviction.

Le Dr Riteman lui posa alors les questions habituelles. Elle y répondit d'une voix tremblante.

— Avez-vous d'autres symptômes? conclut-il. Des nausées, une sensation de fatigue perpétuelle, un manque d'appétit?

— Je... Je les ai tous.

Elle semblait si émue que le médecin se pencha pour lui prendre la main par-dessus son bureau.

— Voilà ce que nous allons faire : en sortant d'ici,

vous irez dans un laboratoire pour faire des tests. Nous aurons ainsi une certitude.

Réprimant une folle envie de hurler, elle hocha la tête.

— Vous avez raison, docteur.

— Cela vaut mieux que de commettre une imprudence. Vous saurez au moins à quoi vous en tenir.

Ce n'était pas possible. Cela ne pouvait pas l'être.

Deux jours plus tard, elle sortait du cabinet nantie d'une liasse de feuillets qui lui affirmaient le contraire. Elle n'en était qu'au début, mais il n'était pas trop tôt pour prendre des précautions, c'est du moins ce qu'avait dit le médecin.

Lorsqu'elle fut au volant de sa voiture, elle ne démarra pas tout de suite. Les yeux dans le vague, elle essayait de prendre la mesure de ce nouveau cataclysme.

Elle portait l'enfant de Cam. Cette pensée suscita en elle un flot d'émotions confuses. Elle avait toujours projeté d'avoir des enfants, mais cela restait dans le domaine du rêve. Quant au père, elle ne lui donnait pas de visage.

Jusqu'à Cam. Depuis le début de leur étrange mariage, il s'était substitué à cette image floue. Une fois ou deux, elle avait même fantasmé en imaginant le père qu'il serait. Cependant, elle n'avait jamais envisagé de concrétiser ces élucubrations.

Maintenant, un enfant réel grandissait en elle. Un fils ou une fille qui tenait à la fois de Cam et d'elle, et qui deviendrait un être unique.

Cam. Elle brûlait de courir vers lui pour lui annoncer la nouvelle. Elle voulait sentir ses bras autour d'elle, l'entendre lui dire qu'il était heureux, que tout irait bien.

Mais elle n'en avait pas le droit. Elle ne voulait pas

qu'il se crût obligé d'assumer ses responsabilités. Si elle revenait un jour, ce serait parce qu'il l'aimait autant qu'elle l'aimait.

Cette pensée lui coupa le souffle... Elle était amoureuse de Cameron McCleary ! Quelle folle elle avait été ! Elle avait laissé ses doutes l'aveugler, elle n'avait pas reconnu le don incroyable que lui faisait la providence.

Mme Newton était dans la salle de séjour quand Lacey rentra. Elle leva les yeux de son tricot, un sourire d'accueil aux lèvres.

— Tu rentres tôt, ma chérie. Janet a fait du thé avant de partir, si tu en veux. Ses cookies sont une pure merveille.

Lacey s'assit auprès de sa mère et se versa une tasse de thé. Elle se força ensuite à grignoter un biscuit.

— Tu ne les trouves pas délicieux ?

— Comment s'est passé ton déjeuner avec Jimbo ?

— C'était parfait. Le poisson était divin.

— Vous semblez bien vous entendre.

— James est un homme charmant, et d'une parfaite galanterie avec les femmes.

— Tant mieux. Si tu es heureuse, je suis heureuse pour toi.

— Merci, ma chérie. Tout ce que nous avons à faire, maintenant, c'est de tout mettre en œuvre pour que tu trouves le bonheur.

Lacey haussa les épaules dans l'espoir de décourager sa mère. Mme Newton pinça légèrement les lèvres. Décidément, sa fille avait perdu tout bon sens ! Pourtant, elle ne dit rien.

Lacey suivait des yeux le mouvement des aiguilles à tricoter. Depuis quelque temps, elle découvrait sa mère sous un autre jour. C'était une femme à part entière, avec ses espoirs et ses rêves.

— Maman ?

— Oui, chérie ?

— Est-ce que je t'ai dit récemment combien je t'aimais ?

Surprise, Mme Newton leva les yeux. Lacey poursuivit très vite.

— Je ne te l'ai pas dit souvent, n'est-ce pas ?

— Je sais que tu m'aimes, Lacey, on n'a pas toujours besoin de prononcer les mots pour qu'ils soient entendus. Je t'aurais répondu que tu as été le meilleur de ma vie.

— Tu n'as jamais regretté de m'avoir élevée seule ?

— J'ai regretté que tu n'aies pas connu ton père et qu'il ne t'ait pas connue, c'est tout. Si tu n'avais pas été là, je ne peux imaginer ce qu'aurait été mon existence.

— Tu étais très jeune... Ma présence ne t'a jamais pesé ?

— Non. Tu comprendras quand tu auras des enfants.

Lacey toussota.

— Tu aimerais être grand-mère ?

Mme Newton ne leva pas les yeux de son ouvrage.

— Bien sûr. Une maison sans enfants, c'est bien triste. Malheureusement, au rythme où tu vas, la mienne ne risque pas de retentir de leurs cris avant longtemps.

Lacey sourit avec émotion.

— Maman... je vais avoir un bébé.

Les aiguilles cessèrent de cliqueter, pourtant Mme Newton ne releva pas tout de suite la tête. Enfin, elle posa sur sa fille un regard empreint d'un timide espoir.

— Tu... Tu attends un enfant ?

— Cela t'ennuie ?

— Seigneur ! Tu as perdu la raison, ma chérie !

Elle lâcha son tricot pour saisir les mains de sa fille.

— Un bébé ! Oh, mon amour, c'est la meilleure nouvelle que j'aie entendue depuis des années !

Les yeux brillants de larmes, Lacey se mit à rire. Sa

grossesse devenait bien réelle, maintenant qu'elle l'avait annoncée à sa mère.

Le visage de cette dernière s'assombrit brusquement.

— Tu vas le dire à Cameron.

C'était davantage une affirmation qu'une question. Lacey se détourna, gênée.

— Je l'ignore encore.

Les doigts de Mme Newton se crispèrent sur les siens.

— Ecoute-moi, Lacey! Cameron a le droit de savoir qu'il va être père.

— Je sais, je sais. Je vais le lui dire, mais pas tout de suite. Je viens à peine d'en être informée moi-même, il faut que je m'y habitue.

— Si tu n'avais pas commis la bêtise de le quitter, tu ne serais pas en train de te demander à quel moment tu vas le lui annoncer.

Pour la première fois depuis le retour de sa fille, Mme Newton s'était exprimée sur un ton légèrement acerbe.

— Je t'en prie, maman, ne me fais pas regretter de m'être confiée à toi.

Mme Newton s'adoucit aussitôt.

— Entendu. Pas de sermon pour ce soir. Célébrons plutôt l'événement en ouvrant la bouteille de cidre qui se trouve dans le réfrigérateur.

Elles trinquèrent à la santé du bébé et s'amusèrent comme des collégiennes à planifier sa vie jusqu'à son entrée à l'université. D'une certaine façon, se dit plus tard Lacey, c'était l'une des meilleures soirées qu'elle avait passées avec sa mère.

Mais une fois dans son lit, elle pleura une partie de la nuit. Mme Newton avait beau être adorable, elle n'était pas Cam. Jamais elle ne se pardonnerait de n'avoir pu partager ces moments de joie avec lui.

Le lendemain, Lacey se rendit à la boutique comme d'habitude. Elle pensait si intensément à Cam qu'elle ne fut pas surprise de le voir apparaître sur le seuil. Elle était à genoux derrière un étalage, occupée à ranger des articles dans un tiroir bas, aussi ne la vit-il pas tout de suite. Ce délai permit à la jeune femme de se composer un visage souriant avant de se relever.

Elle se redressa lentement. Si cela avait été possible, elle se serait jetée dans ses bras et lui aurait avoué qu'elle s'était comportée comme une sotte. La peur de gâcher leurs futures relations par un mouvement impulsif la retint.

— Bonjour, Lacey.

— Bonjour, Cam.

Il la parcourait des yeux, du sommet de son chignon blond jusqu'au bout de ses chaussures vernies, en passant par la robe de soie verte. Elle faillit poser ses mains sur son ventre, comme s'il avait pu entrevoir la petite vie qui s'y cachait.

— Tu es très belle.

— Merci. Tu n'es pas mal non plus.

Un lourd silence s'abattit sur eux. Les nerfs à vif, Lacey finit par le rompre :

— Tu es venu dans un but précis?

Elle regretta aussitôt ces paroles maladroites. Cam serrait les mâchoires.

— Non. Ce n'est sans doute pas le bon moment.

Il esquissa un mouvement de retraite. Dans quelques secondes, il serait parti, persuadé qu'elle ne voulait pas le voir. La main de Lacey se posa sur le bras de Cam.

— Attends! Je suis navrée de m'être montrée aussi directe. Je dois être un peu nerveuse.

Il lui fit face, l'air plutôt sceptique.

— Tu en es sûre? Je sais que tu es surchargée de travail.

Elle désigna la boutique vide.

— Tu le vois, je suis assaillie par la clientèle, pourtant je peux te consacrer quelques minutes.

Elle le sentit se détendre.

— La journée est calme?

— C'est la saison qui l'est. Dès le début de l'été, ils partent tous pour Saint Moritz. A vrai dire, je suis satisfaite de ce répit.

— Je m'en doute.

Pour la première fois depuis son arrivée, Cam sourit.

— Comment vas-tu? reprit-il d'une voix douce.

— Très bien... Et toi?

— Ça peut aller. Tu manques beaucoup à Derwent. Pendant deux jours, il n'a cessé de te chercher. Il refusait même de manger.

Lacey hocha la tête. Lui avait-elle manqué, à lui aussi? Si seulement il pouvait lui demander de revenir à la maison! Malheureusement, il se tut un instant. Et quand il parla, ce fut pour changer de sujet.

— Cela ne t'ennuie pas que je sois venu sans prévenir?

— Bien sûr que non!

Il semblait loin de se douter à quel point elle se languissait de lui...

— Je souhaite que nous restions amis.

— Moi aussi.

Amis? Elle voulait être aussi sa femme, son amante, le centre de sa vie.

Il enfonça ses mains dans ses poches.

— Bon, eh bien je vais y aller. Je dois faire quelques courses.

Lacey se mordit la lèvre inférieure. Devait-elle le supplier de l'emmener avec lui? Dès qu'il saurait qu'elle était enceinte, il s'imaginerait que c'était la raison de ce revirement. Et si elle le lui annonçait d'abord, elle penserait qu'il ne lui demandait de revenir que pour assumer ses responsabilités.

Aussi ne dit-elle rien. Elle murmura un au revoir, puis elle le regarda partir, les ongles profondément enfoncés dans les paumes.

A coup sûr, elle avait réussi un terrible gâchis.

Cam marchait à longues enjambées rageuses. Quel imbécile il faisait! Il ne lui avait rien dit de ce qu'il voulait dire et elle avait dû le prendre pour un fou.

— Je souhaite que nous restions amis!

Il avait martelé sa propre phrase avec une ironie sauvage. Une vieille dame qui marchait à son côté lui lança un regard inquiet avant de s'engouffrer dans un magasin de chaussures pour hommes. Cam n'y prêta aucune attention. Depuis deux semaines que Lacey était partie, la maison lui semblait déserte. Il était venu pour la supplier de donner à leur mariage une seconde chance. Au lieu de cela, il était resté planté devant elle comme un ours au coefficient intellectuel légèrement inférieur à la moyenne. Bravo!

Comment aurait-il pu lui dire qu'il ne vivait plus que par elle, quand visiblement elle ne ressentait rien de tel? Pourtant, il ne parvenait pas à se persuader que tout était fini... Ils avaient été trop bien ensemble pour qu'elle ne finît pas par reconnaître cette évidence. Il fallait simplement lui en laisser le temps...

— J'ai invité James à dîner, ma chérie. Cela ne te contrarie pas?

Lacey sourit à sa mère, dont les yeux brillaient d'une excitation juvénile.

— Bien sûr que non. Devrai-je m'éclipser discrètement?

Mme Newton rougit comme une adolescente.

— Ne sois pas stupide ! Si nous voulions être seuls, la ville ne manque pas de motels.

— Maman ! Je suis choquée !

— Tant mieux.

La soirée fut plus agréable que Lacey ne s'y était attendue, après sa dernière entrevue avec Jimbo. Personne ne fit allusion à Cam jusqu'au dessert.

— Est-ce que tu as revu Cam récemment, ma chérie ? demanda Mme Newton.

— Il est justement passé à la boutique cet après-midi.

— Est-ce que tu lui as annoncé...

Mme Newton s'interrompit brusquement. Jimbo leva les yeux de sa tarte aux pommes.

— Annoncé quoi ?

— Rien, affirma Lacey sans grand espoir d'être crue.

— Cela n'en a pas l'air.

Mme Newton adressa à sa fille un regard de défi.

— J'imagine que tu ne vas pas garder le secret éternellement ?

— Je pense simplement que ce n'est pas le moment d'en parler.

— Allez, intervint Jimbo, je meurs de curiosité.

— Maman...

Mme Newton fit taire sa fille d'un geste.

— Lacey va avoir un bébé.

Jimbo parut soudain étouffer. Il se mit à tousser, les yeux emplis de larmes.

— Quoi !

— Je suis enceinte.

— Seigneur !

Lacey haussa les sourcils, un peu surprise par cette réaction.

— Tu ne me félicites pas ?

— Cam est au courant ?

— Je ne crois pas que cela te regarde.

— Donc, tu ne lui as rien dit. Seigneur!

— Que se passe-t-il, James?

Jimbo accorda à Mme Newton un regard distrait.

— J'ai été pris au dépourvu, c'est tout. Bon sang! J'ai oublié que j'avais un rendez-vous.

— A 9 heures?

— Un client farfelu. Je suis désolé de vous quitter si vite. Le repas était excellent.

— Jimbo!

Mais il avait déjà disparu dans l'entrée. Quelques secondes plus tard, la porte claqua. Lacey tourna vers sa mère des yeux interrogateurs. Celle-ci semblait aussi étonnée qu'elle.

— Il avait l'air hors de lui.

— Complètement fou, tu veux dire.

15.

La journée était exceptionnellement belle, pourtant Cam n'était pas d'humeur à s'en réjouir. Assis devant son établi, il faisait semblant de travailler. Planté devant la porte ouverte du garage, Derwent montait ostensiblement la garde bien qu'il n'y eût rien à garder. Au moins le petit chien avait repris quelque activité, ce qui n'était pas le cas de son maître.

Les premiers jours qui avaient suivi le départ de Lacey, la rage avait soutenu Cam. Il était si furieux qu'il s'apercevait à peine qu'il souffrait. Mais sa colère s'était finalement estompée, pour faire place à une sensation de solitude presque insupportable.

Il avait vécu seul pendant des années sans jamais la ressentir. Quand il s'ennuyait, il lui suffisait d'appeler un ami. Mais les choses avaient changé : il ne recherchait pas une compagnie, il voulait seulement Lacey.

Il aurait dû lui dire depuis longtemps qu'il l'aimait. Il l'avait accusée d'être lâche, mais il ne valait guère mieux qu'elle. Depuis des semaines, il savait que ce soi-disant « essai » était devenu à ses yeux un vrai mariage. Il n'avait pas osé lui en parler : il craignait trop d'apprendre qu'elle ne partageait pas ses sentiments.

Et maintenant elle était partie. Mais pas pour toujours ! Il parviendrait à la convaincre que ce mariage était la meilleure chose qui leur fût jamais arrivée à tous les deux.

Derwent gronda, arrachant Cam à ses pensées. Il leva les yeux, à peine surpris de voir Jimbo sur le pas de la porte.

— Ça suffit, Derwent, ordonna-t-il.

Jimbo avança prudemment.

— Je me demande pourquoi il ne m'aime pas.

— L'instinct des animaux est souvent supérieur au nôtre. Peut-être sait-il sur toi quelque chose que j'ignore. Prends un siège.

Une fois assis, Jimbo se mit à fixer le sol. Son visage exprimait un abattement mêlé de culpabilité. Cam observa son ami avec attention.

— Tu as des ennuis?

— Je veux te rappeler que notre amitié date de plusieurs années.

— En effet. Tu as éraflé ma voiture?

Jimbo poussa un soupir à fendre l'âme.

— Non... J'ai vu Lacey, hier soir.

Cam se leva d'un bond.

— Elle va bien?

— Très bien.

Cam se détendit légèrement.

— Tâche de ne plus m'effrayer ainsi.

— Désolé. Je ne voulais pas t'inquiéter prématurément.

— Prématurément? Dis-moi la vérité, Jimbo, Lacey ne va pas bien?

— Non, non... Je veux dire, ce n'est pas comme si elle était malade ou quelque chose dans ce genre.

Cam fit quelques pas menaçants dans la direction de Jimbo qui glissa de son tabouret pour lui faire face.

— Rappelle-toi notre amitié.

— Si tu continues, je sens qu'elle ne sera plus qu'un lointain souvenir.

Jimbo leva les deux mains en signe de protestation.
— Très bien, très bien, je ne devrais sans doute rien te dire, mais étant donné les circonstances... que personne d'autre ne connaît exactement... il vaut mieux que je te le dise... Evidemment, Lacey ne me le pardonnera jamais.
— Jimbo!
— Lacey est enceinte.
— Qu'est-ce que tu dis?
— Lacey attend un enfant.
Cam regardait son ami sans le voir.
— Seigneur!
— C'est drôle, c'est exactement ce que j'ai dit.
— Pourquoi ne m'en a-t-elle pas parlé?
Sentant le désarroi de son maître, Derwent se dressa, prêt à bondir sur Jimbo, qui semblait être à l'origine du trouble.
— J'ignore ses intentions, dit Jimbo.
— En tout cas, je connais les miennes. Je vais aller la trouver et je la ramènerai à la raison, même si je dois l'enlever de force.
— Justement, Cam, nous devons en discuter d'abord.
Cam était déjà dehors, Jimbo sur les talons et Derwent à leurs trousses.
— La seule personne à qui je veuille parler est Lacey. Comment a-t-elle pu garder cela pour elle? Je suis son mari, bon sang!
— C'est de cela que je voudrais bavarder avec toi.
Cam n'écoutait pas. Il se rua dans la maison, toujours suivi de Jimbo et du chien.
— Nous avons vécu ensemble pendant près de trois mois, dit-il en prenant les clefs de sa voiture.
— Cam, j'ai vraiment quelque chose à te dire.
— Plus tard. Ferme la porte, veux-tu?
Jimbo obéit, pas assez vite pourtant pour empêcher Derwent de se glisser dehors.

— Cam !

Cam ouvrit la portière de sa voiture.

— Tu sais, je n'arrive pas à croire qu'elle ait eu peur de m'annoncer cette nouvelle. Notre mariage n'a pas commencé de façon très conventionnelle, je l'admets, pourtant nous étions parvenus à bien nous entendre. J'aurais dû être le premier à apprendre qu'elle attendait un bébé.

— Non, justement.

Jimbo s'appuya sur la voiture, la respiration haletante. Cam fit un effort visible pour lui accorder un brin d'attention.

— Je te remercie de me parler avec autant de franchise. Peut-être Lacey et moi avions-nous besoin de cet heureux cataclysme pour nous retrouver... Nous ne sommes plus seuls, désormais. Peut-être pourrai-je convaincre Lacey de donner une seconde chance à notre mariage.

— Non, tu ne le peux pas.

— Qu'est-ce que je ne peux pas faire ?

— Convaincre Lacey de donner une seconde chance à votre mariage.

Jimbo le regardait avec un remords mêlé de défi. L'estomac de Cam se noua.

— Pourquoi, Jimbo ?

— Ecoute, Cam, j'ai agi pour le mieux. Je pensais vraiment que vous étiez faits l'un pour l'autre et je voulais que vous ayez l'occasion de vous connaître.

Cam s'éloigna de la portière.

— Qu'as-tu fait ?

— Sur le coup, cela semblait vraiment une bonne idée.

Cam fit quelques pas en direction de Jimbo qui recula.

— Jimbo ! Qu'est-ce qui semblait une bonne idée sur le coup ?

— Eh bien... Tu te souviens de la soirée d'anniversaire de Lacey?

— Evidemment!

— Tu sais qu'elle avait un peu trop bu?

— Jimbo, je n'ai pas besoin que tu me retraces la nuit de notre mariage. Je veux juste savoir ce que tu as fait.

— Euh... Ce qui compte, c'est surtout ce que vous n'avez pas fait.

Cam entrevit la vérité.

— Tu peux être plus précis? gronda-t-il.

Aussitôt, Derwent se rangea aux côtés de son maître, son petit corps vibrant de l'antipathie qu'il éprouvait pour Jimbo.

— Ecoute, supplia ce dernier, je te rappelle que notre amitié dure depuis de longues années. Sur le coup, cela paraissait une très bonne idée.

— Jimbo!

— Lacey et toi n'êtes pas mariés, dit très vite Jimbo.

— Espèce de...

Jimbo n'essaya même pas d'esquiver le coup. Le poing de Cam le frappa au menton, lui faisant perdre l'équilibre. Il s'abattit sur le gazon et pendant quelques secondes nourrit le vague espoir de s'évanouir. Il n'eut pas cette chance.

— Relève-toi que je te tue.

Jimbo souleva les paupières. Cam le dominait, les poings serrés et le regard meurtrier.

— Je le mérite sans doute, mais je ne veux pas que tu aies ma mort sur la conscience.

— Ma conscience supportera ce poids. Comment as-tu pu nous faire cela, à Lacey et à moi? Seigneur! Quand avais-tu l'intention de nous révéler la vérité?

Jimbo se redressa sur un coude.

— Je ne suis pas entièrement fautif. Vous étiez bel et bien décidés à vous marier, en dépit de toutes mes tentatives pour vous en dissuader. Tu comprends... Je ne pouvais pas vous laisser faire une bêtise pareille.

— Tu as droit à toute ma gratitude.

— Alors, j'ai organisé un simulacre de cérémonie avec un faux certificat. Mais ensuite vous avez disparu et je ne vous ai retrouvés que le lendemain matin. Vous sembliez hors de vous. J'ai pensé que si vous découvriez que vous n'étiez pas réellement mariés, ce serait encore pire. J'ai donc laissé le destin faire son œuvre.

— Avec des amis comme toi, un homme n'a pas besoin d'ennemis. Est-ce que Lacey est au courant?

— Non. Quand j'ai su qu'elle était enceinte, j'ai pensé qu'il valait mieux te raconter toute l'histoire d'abord.

Les yeux de Cam étaient d'un bleu foncé qui ne laissait rien présager de bon. Jimbo frissonna.

— Je voudrais que tu te mettes debout, pour que je puisse te réduire en poussière.

Du bout du doigt, Jimbo tâta sa mâchoire endolorie.

— Je ne suis pas si bête! D'ailleurs, tu n'as pas le temps de me pourfendre, tu dois parler à Lacey.

— Lacey! Comment vais-je lui annoncer cela! Tu as raison, je ne vais pas te tuer. Mais tu ferais mieux de rester hors de ma portée pendant les soixante-dix prochaines années, ou je jure que je te hacherai en menus morceaux de mes mains nues.

Jimbo eut soin de ne pas bouger jusqu'à ce que la voiture de Cam eût tourné dans la rue. En toute conscience, il pensait avoir agi au mieux. Cam finirait bien par lui pardonner, quant à Lacey, elle n'était pas rancunière. En ce qui concernait Mme Newton, il était moins sûr de lui. Elle lui en voudrait sans doute quand elle apprendrait que sa fille avait vécu en concubinage par sa faute.

Un grognement sourd attira son attention. Derwent le fixait, vibrant d'hostilité.

— Tais-toi ! Cam m'a déjà boxé, ce n'est pas une raison pour que tu ajoutes l'insulte à l'affront. D'ailleurs, tu es trop petit.

Derwent lui prouva aussitôt qu'il avait tort en lui plantant ses petits crocs acérés dans la cheville.

Lacey n'avait pas passé une bonne journée. Sa nuit avait été houleuse et ponctuée de rêves où elle se voyait annonçant à Cam sa future paternité. Elle s'était éveillée complètement déprimée.

Ensuite, sa mère l'avait harcelée pour qu'elle mît Cam au courant de sa grossesse. Puis sa voiture avait hoqueté pendant tout le trajet jusqu'à la boutique, menaçant d'agoniser à chaque instant.

Les Frivolines de Lacey n'avaient pas désempli de la matinée, ce qui était rare pour un mardi. A 11 heures, elle parvint à se faire un café qui dut refroidir en attendant qu'elle trouvât un foulard assorti à une robe hideuse portée par une matrone.

Quand Cam parut sur le seuil, elle pensa qu'il ne manquait plus que cela pour ajouter la dernière touche à cette sombre journée. Elle ne voulait surtout pas affronter son mari dans un moment où elle ne maîtrisait pas ses émotions. Elle lui dirait qu'elle attendait un bébé quand elle se sentirait prête.

Il marcha droit sur elle.

— Lacey, j'ai à te parler.

Il ne lui avait même pas dit bonjour.

— C'est impossible pour l'instant. Demain, si tu veux.

Cam balaya les clientes d'un regard distrait.

— Non, tout de suite.

— Cam, je t'assure que je ne peux pas m'absenter.

Il la prit par le poignet.

— Nous allons pourtant discuter maintenant. Pourquoi ne pas aller dans ton bureau ?

Lacey se sentit submergée par la panique. Il devait être au courant de sa grossesse, c'était la seule raison pour qu'il se comporte ainsi. Elle n'était pas prête, elle ne voulait pas en parler !

Conscient que les trois clientes présentes les observaient avec curiosité, il lui adressa un sourire crispé.

— Lacey, nous parlerons dans ton bureau ou sur le trottoir, mais nous parlerons. Ça ne peut pas attendre.

— Tu es odieux, Cam.

— Je n'ai pas l'intention de l'être. Je ne trouve pas déraisonnable de vouloir discuter avec la femme qui porte mon enfant.

Il n'avait pas parlé fort, pourtant Lacey eut l'impression que ses clientes se tournaient vers elle.

Dans l'espoir de détourner leur attention, elle prit un ton mondain.

— Nous en parlerons au dîner, veux-tu ?

Cam resserra son emprise.

— Lacey, ce n'est pas quelque chose dont on peut bavarder face à un steak tartare ! Pourquoi ne m'as-tu rien dit ?

— Je ne le sais pas moi-même depuis très longtemps. J'essayais de me faire à cette idée avant de t'en parler.

— Donc, tu n'avais pas l'intention de me le cacher.

— Bien sûr que non. Mais pour l'instant, Margaret est absente et j'ai du travail.

— Il y a des choses plus importantes que les affaires.

— Ce n'est pas parce que tu es mon mari que je vais t'obéir au doigt et à l'œil.

Cam changea d'expression.

— Justement, Jimbo est venu me voir, ce matin...

— J'aurais dû me douter qu'il serait incapable de tenir sa langue. J'ai bien envie de le gifler, la prochaine fois que je le verrai.

— Hum... C'est plus ou moins ce que j'ai fait.

Pour la première fois depuis qu'il était entré dans la boutique, Lacey éprouva un sentiment proche de l'allégresse.

— Tu l'as boxé? Tant mieux! J'espère qu'il devra aller chez le dentiste.

Cam hocha la tête distraitement.

— Il m'a révélé un... détail dont nous devons discuter.

— C'est impossible pour l'instant.

— Tu ne comprends pas. Jimbo...

— Je t'en prie, Cam, reviens cet après-midi.

— Lacey, nous ne sommes pas mariés.

— Quoi?

— Le certificat est un faux. Nous ne...

La signification de ces mots apparut brusquement à Lacey. Elle n'était pas la femme de Cam, il n'était pas son mari. Sa lèvre inférieure se mit à trembler. Cet « essai » insensé n'avait jamais eu de raison d'être, puisqu'il n'y avait pas de mariage du tout.

Voyant les yeux verts s'emplir de larmes, Cam sentit son cœur se fendre. Il attira Lacey contre lui et se pencha pour déposer un baiser sur sa bouche frémissante.

— Ne pleure pas, chérie, nous allons nous marier. Et pour de bon, cette fois.

Elle se raidit.

— Non! Je ne veux pas que tu m'épouses parce que je suis enceinte. Je n'ai nul besoin qu'on me fasse la charité.

— Il ne s'agit pas de cela... Je t'aime.

— Tu dis ça à cause du bébé!

— Pas du tout. Je suis amoureux de toi depuis des semaines.

— Pourquoi ne pas me l'avoir dit plus tôt?

— J'avais peur... Le lâche, c'était moi.

Anxieuse de savoir la vérité, elle leva vers lui un regard interrogateur.

— A votre place, je le croirais. Il a l'air sincère.

Lacey sursauta. Le conseil venait de l'une de ses clientes, une blonde voluptueuse et couverte de bijoux qui la fixait avec bienveillance.

— Je suis d'accord, renchérit une autre. Il semble digne de confiance.

La matrone à la robe hideuse voulut ajouter son grain de sel.

— Méfiez-vous des hommes, ma petite, ils sont tous sournois.

Lacey se tourna vers Cam.

— Tu en es bien sûr?

— Ces semaines sans toi ont été un calvaire.

— Ce n'est pas pour l'enfant?

— Avec ou sans lui, tu es ma vie, Lacey.

Elle poussa un profond soupir.

— Je t'aime aussi...

La bouche de Cam s'empara de ses lèvres entrouvertes. Elle jeta ses bras autour de son cou, convaincue d'être parvenue au port.

Autour d'eux, les applaudissements crépitèrent. Cam relâcha légèrement son étreinte pour lui permettre de se tourner vers un public réduit, mais enthousiaste. Il s'inclina légèrement en direction des trois spectatrices.

— Excusez-nous, mesdames, mais nous avons un mariage à célébrer. Las Vegas? demanda-t-il à Lacey.

— Bien sûr, et cette fois ce sera le bon.

— Il l'était déjà la première fois...

Lacey hocha la tête. Il fallait admettre qu'il avait raison.

Découvrez le 15 de chaque mois les nouveaux romans Duo

ROMANCE

Sammy veut se marier, *de Dena Brauer*
Comment séduire son ami d'enfance, quand ce dernier n'a'aucune, mais aloirs *aucune* envie de se passer la corde au cou !

Léo et la croqueuse de diamants, *de Beverly Terry*
- Écoutez ma petite, vous feriez mieux d'avouer tout de suite. Je sais tout de vous et de vos activités... Rendez-moi le diamant !

Un carré de ciel bleu, *de Alaina Hawthorne*
Par un bel après-midi d'avril, un grand carré de ciel bleu s'abattit sur Melany... et sa vie s'en trouva brusquement transformée !

HARMONIE

Disparitions à Seal Beach, *de Beverly Sommers*
Tous les chats disparaissent mystérieusement à Seal Beach. Étrange histoire... d'humour et d'amour...

Drôle de nuit, *de Dallas Schulze*
Une soirée d'anniversaire un peu mouvementée et la fête continue toute la nuit à Las Vegas. Le lendemain matin, Lacey se retrouve mariée...

Adriana ou le bel été, *de Marilyn Pappano*
Adriana est engagée par un homme qu'elle a aimé pour retrouver une femme dont il a été amoureux...

DÉSIR

Il pleuvait sur Griffin..., *de Maggie Davis*
D'une banale rencontre mondaine, naît une brûlante histoire d'amour jalonnée d'averses... et suivie d'une avalanche de catastrophes.

Valentine, ma bien-aimée, *de Vicki Lewis Thompson*
Elle se serra plus étroitement contre lui et posa la tête sur son épaule.
- J'espère que vous savez ce que vous faites, murmura-t-il à son oreille.
- Mais... je danse. Pas vous ?

Composé par Eurocomposition, Sèvres
Achevé d'imprimer en mai 1990
sur les presses de la Société Nouvelle Firmin-Didot
à Mesnil-sur-l'Estrée (Eure)
pour le compte des éditions Harlequin

N° d'imprimeur : 14712 — N° d'éditeur : 3097
Dépôt légal : juin 1990

Imprimé en France